生きづらい人生をやめて ありのままの自分になれる

どんな過去でも未来は変わる

知っていますか？
人の目が気になる理由
親が知らない子どもへの影響

改訂版

はじめに

私がカウンセラーとして経験を重ねる中で、親子の関わり方、家庭環境が人生に与える影響が大きいことをとても感じるようになりました。刷り込まれてしまった自己概念や自己認知によって、思考癖による悩みや苦しみが生まれることを目の当たりにして、そのことを多くの方に知って欲しいと思い、今回執筆させて頂くことになりました。

ただ、誤解しないで頂きたいのは、環境が全てを決定するわけではなく、環境のせいで人生をあきらめることなく、どんな環境にいても、「自分の人生は自分で選ぶことができる」ということを強く伝えたいのです。

コロナ禍による人との関わり方の変化や不登校の増加、経済的な変動など、生きづらさを感じている方が増えたように感じます。私自身もカウンセリングが忙しくなったのをきっかけに、カウンセラーを増やしたいと考えると同時に、知識を身に着ければ、自分の人生を変えることができるという信念のもとで、オンライン講座にも力を入れています。

ここで、少しだけ私自身のことについて触れさせてください。二千十三年にカウンセリングルームを開業してから十年以上が経ちました。私は元々平凡な会社員で、結婚を機に専業主婦となりましたが、子どもが不登校を経験したことでカウンセリングを学び、この道に進むきっかけとなりました。そして心理を学ぶことで自分が変わり、同じような悩みを抱える人の役に立ちたいと考えたのです。

もともと私は心理とは縁遠い人生を歩んでいましたが、初めて心理に興味を持ったのは、意外に早く、高校生の時でした。ある先生が私のクラスで「赤と言ったら何を連想する?」と問いかけた時、多くの生徒たちからは、「血の色」「信号」という答えがあがりました。「普通、このくらいの年代の子は、バラとか夕日とか、きれいなものを答えることが多いのだよ」と、先生は教えてくれました。

その先生はかつて心理学を学んでいたそうです。実は、その時の反応が一年ほど前にクラスメートが、学校の目の前で車にはねられ、亡くなった衝撃的な出来事の影響を受けていることを示していたようなのです。当時、誰もその子の話題を口にしなくなっていましたが、心には大きな影響を与えていたことに気づきました。

それから、今から二年ほど前になりますが、電話カウンセリングで、ある相談者の方が「カウンセラーは、精神的な病気になったのがきっかけでその職業に就く方が多いと聞きますが、先生はそういうことはないのですか？」と私に質問してきました。私は、「心の病気にかかったことはないけど、もともと足が悪くて障害者です。両親が二十五歳の時に立て続けに亡くなったし、子どもたちが幼稚園の時に軟部肉腫になった経験があります」と自己開示をしました。その時その相談者の方が「先生、そんなに不幸に見舞われて大変ですね」と返したのです。

「…」

実は、私はそれまで「私は運がいい」「恵まれている」と思っていたのでとても驚いたのです。私は、若い頃から何か転んだような出来事があっても、結果的にはうまくいくことが多く、病気をしたのも無理をしすぎる自分を気付かせてくれた出来事、足に大きな傷が残りはしましたが、膜が張ったように外に癌が出て、体の内側に入っていなかったので、とてもラッキーだったと思っていました。

息子に話すと「不幸じゃないでしょう。ただ、運が悪かっただけだよ」と言われ、思わず「私の人生が不幸と言われた上に、運が悪いというワードまで入れないで！」と言いましたが、見方を変えると運がよくて恵まれていたと思っている私の人生は、ある人からは不幸に見え、ある人からは運が悪いと見えるのだと、人それぞれの視点で人生が異なって見えることにひとりで笑ってしまいました。

私は、幼い頃から「足が悪くても走ろうと思えば走れる。みんなと同じことも出来るし、歩けないわけではない。だから、私は幸せだ。健常者の気持ちも障害者の気持ちも両方の気持ちを理解できる」と思っていました。

そして二十五歳の時、父が亡くなる病室で（その頃は母も元気でした）苦しそうな父がいるベッドの横で、ほんの少し仮眠をしようと目をつぶったとき、父の寝息が聞こえてきて、「家にいるみたいだ」と思ったその瞬間、何とも言えない幸せを感じたのです。

「人はこんな時にも幸せを感じられるんだ…」目を開ければ苦しそうな父の姿がありましたが、今、生きて隣にいてくれると思えば幸せを感じます。その瞬間「私はこの先、どんなことがあってもその中で幸せを見つけて生きていける」と、なぜかそう思ったのです。

これは、父が最後に私に教えてくれたことだと思っています。また、その父が亡くなる数年前、私が人生の岐路に立たされた時、泣いている私に向かって「親のことは気にしなくていいんだぞ。親のせいであきらめたら、何かうまくいかないことがあれば親のせいにする。誰かのせいにする人生を送るな」と言ってくれました。

結局、私が親から離れられず、やりたいことをあきらめたのですが、「ひとりっ子だから親のためにあきらめた」というのではなく「自分の意志で辞めた」と、はっきり自覚できたので、後々後悔することもありませんでした。

「人のせいにしない人生」

「どんなときにも幸せを見つけて生きていける」この二つはその後の私の人生に大きく影響しています。

父が亡くなって八ヶ月後、母が急逝しました。それまで私は「母には私がいなければだめ」と思って生きてきましたが、母の死をきっかけに、実は「私自身が母なしではだめだったのだ」と初めて思い知りました。母とはとても仲が良かったので、母の死は、私にとって母親だけでなく、一番の親友を失くしてしまったという気持ちもありました。それだけ私にとって大きな影響を与えた存在でした。

母は再婚しており、父親違いの二人の娘を手放していたせいか、私にはとても甘く、とても優しい人でした。父は門限などにはとても厳しかったものの、両親ともに私を深く愛し、親ばかで、惜しみない愛情を注いでくれました。そのおかげで私は、障害を持ちながらも自己肯定感を持つことができ、いじめにあっても理由を聞いたりして、「自分自身が悪いのではなく、行動が問題だ」と理解し、誤解されたならそれを解くような対処法に勤めました。小学校の頃は、足をからかういじめっ子は無視し、「普通に接してくれる友達がいればそれでいい」と考えていました。その後も、誤解されたり、いじめられたりした際には、その誤解された行動を変えることで、何度もいじめを克服してきました。

心理の勉強をして学んだことは、人の強さは「そのままの自分が愛されている」と強く実感できているところから生まれると理解しました。

目次

第一章

生きるのが辛い人たち

1　優秀なのに自分に価値が無いという若者

カウンセリングルームでのカウンセリングの他に、電話での相談も対応しています。電話相談では、通常の対面カウンセリングとは違い、顔が見えないためか、クライエントの中には「カウンセリングを受けている」という実感の無い方もいらっしゃいます。「自分と向き合う」という気持ちではなく、少し話をしたいという気持ちで、電話カウンセリングを申し込む方もいます。そのため、対面カウンセリングを受ける方に比べて、本質の話や自分と向き合うことに時間がかかってしまう場合もあります。

そういう電話の中にも時折、信じられない状況の方から緊急の電話がかかってくることがあります。

◆絶望の電話

ある晩電話がありました。二、三年前から時々電話をしてくる雄介（仮名）さんからです。雄介さんは「死にたい」と言い、今、ビルの屋上にいるというのです。心臓が高鳴り、一瞬頭が真っ白になりました。

「どうしよう…警察に電話？間に合わない」警察が駆けつけてくる前に雄介さんが行動してしまったらどうにもなりません。

「それに事を大きくしたら、雄介さんの、今後のキャリアに傷がつくかもしれない…」私はあわてました。自分に厳しく、ずっと頑張り続けてきた彼にとって、それまで積み上げてきたものを手放すことは大きな痛手になり、それで助かっても、今後雄介さんが生きていく気力を失うことにもなりかねません。

一瞬気が動転しましたが、私は、「電話をしてきたということは、雄介さんの中に死にたくない気持ちが残っている」そのことに気が付きました。誰かに電話をかけるという行為は、彼の中に、「生きたい」という気持ちが残っているからです。その気持ちが、「誰かと話したい」と、私に電話をかけさせたのだと思います。

カウンセリングというより「ただ、その気持ちに気付いてもらえば良い」そう気持ちを切り替えて、私は彼と通話をしました。何を話したのかも覚えていませんが、とにかく気持ちを落ち着かせて、

「その場から離れて、家に帰って欲しい」と願い、彼が家の方向に動き出すまで、そのまま通話を続けました。

◆生きるのが辛い雄介さん

雄介さんは二～三年前から不定期で電話をかけてこられる相談者です。三十歳まで大学院で勉強を続け、安定した職業に就いています。そんな彼の経歴を見れば、順風満帆なキャリアの持ち主だと、誰もが思うと思います。それなのに、勤め始めたばかりの頃から電話カウンセリングが始まりました。どこから見ても優秀な雄介さんなのに、「自分には価値がない」「生きるのが辛い」と、ため息ばかりついているのです。私がいくら「そんなことありませんよ」と否定しても、その考えはとても強固で、私の伝えたい想いは少しも届かないように感じます。電話の向こうからは、絶えずため息が聞こえていました。彼のため息は、私には、心の悲鳴のように聞こえます。

そのため、彼から電話を受ける時には、いつも「今日は良い状態でありますように…」そう願いを込めて受話器を取ります。

でも、雄介さんが電話をかけてくるのは本当に辛くなった時だけです。電話は突発的で、かかってくる電話の期間は数ヶ月空いている時もあります。雄介さんは大きな企業で忙しい部署にいますが、大学時代は人工知能の研究をしていて、それなりの実績も出していました。雄介さんは、本業の仕事の他にその研究も続けていたために、とても多忙な毎日を送っていたのです。

雄介さんは、上昇志向はありますが「自分を無価値」と思い込んでいます。そのため、仕事が終わり深夜に帰宅しても、そこから勉強を欠かすことはありませんでした。

このような状態が続くと、いくら優秀な人でも疲弊します。「キャパオーバーだから少し休んだ方が良いですよ」というアドバイスをしても、「自分のような無能な人間は、それだけのことをしないと何の価値もない。仕事ができないのは自分が無能なせいだ」と言って、生活を改善しようとはしません。客観的に見て、全然そんなことはないと言っても受け入れる気持ちはありませんでした。雄介さんはいつも「人から評価される成果を上げなければいけない。このままの自分ではだめだ」と、とても辛そうにしていました。そして「仕事が終わらない」「いつまでたっても仕事が覚えられない」と、ため息をつきます。

雄介さんがやってきた研究が認められた時には、少し前向きな発言になりましたが、すぐにその結果は過去のものとなり、少しすると、また自分は無価値と言い続け「もっともっと頑張らないといけない」「もっと人から認められないとだめだ」と自分を追い詰めていくのです。

雄介さんは、客観的に自分の現状を理解できていませんでした。

仕事が終わらない、仕事の効率が悪い原因は、雄介さんの能力の問題ではなく、会社の人から仕事を教えてもらえていないことが原因でした。たぶん、そんな状態になってしまったきっかけは入社時にあったのだと思います。

雄介さんは高い志を持って入社しました。自分のこれまでの知識を生かし、会社に入って目についた仕事での効率の悪さを改善させようと、積極的に取り組んでいました。どんどん新しい技術が開発され、昔作ったマニュアルでは効率が悪いので改善した方が良いと上司に提案もしました。

そんな彼に上司は「余計な事はするな、ただ前年度の資料を見てその通りやればよい」と相手にしなかったと言います。

上司からうとまれた結果、「教えなくても出来て当然だろう」と言われ、仕方なく前年度の資料を参考に見よう、見まねで仕上げると「遅すぎる、こんな仕事もできないのか」と、ダメ出しばかりされているそうです。

それに、雄介さん自身が会社の人に仕事を聞くこともほとんどなかったのも原因だったと思います。もともと雄介さんには、人間関係に苦手意識があります。そのため、自分から積極的に人に話しかけるということはなかったので、雄介さんはますます孤立してしまったようです。

そのうえ、雄介さんがいる職場は、良い面ではみんながそれぞれ自立していますが、悪い面では無関心、誰も人には興味を示さないような環境です。また、優秀な人材が多いにもかかわらず、雄介さんには手を抜いているように見える同僚もいるようです。自分自身に厳しい雄介さんにとって、これらの点が受け入れがたい要素となっています。

雄介さんのように能力があれば、「この職場は合わない」「この上司とはやっていけない」と感じ、転職や部署移動を考える人もいるでしょう。しかし、辞めることは彼のプライドが許さず「そういう職場を選んだ自分が悪い」「大学時代からもっと考えて勉強してこなかった自分が悪い」と、自分を責め続けているのです。雄介さんは、自分が楽をすることをとても嫌っています。

「こんな自分は幸せになってはいけない」という自己概念が彼を生きづらくさせている一番の原因です。優秀なのに、なぜ、そういう考えになるのでしょうか？

これは完璧主義に育てられた弊害です。

【完璧主義】

心理学での完璧主義とは、いつもとても高い目標を設定し、完璧を目指して努力し、他者からの評価を重視する性格を指します。

「完璧でなければならない」「こうあるべきだ」という明確な枠組みを持っていますが、その枠内に当てはまらない人を「嫌い」と感じることが多く、嫌いな人が多いので生きづらさの原因となることがあります。

すべてにおいて完璧を求めている人に共通するのは、自分の理想とする状況がうまくいかないと、何もかもすべてが失敗したように感じる強迫的な観念です。

そのため、うまくいかないことが続くと、精神的な負担が非常に強くなってしまいます。常に完璧を目指し、失敗を許せないので、イライラや不安、挫折感などの強いストレスを抱え込むことになります。

これらの特徴は、厳しい環境で育てられた人に多く見られます。幼少期から「結果を出さなければならない」と言われ、いつも優れた成果を求められ、例え、結果を出したとしても、もっと上を目指せと言われ続けているため、達成感も感じられません。

親から認められたことも無く、達成感を感じられずに成長すると、その影響が大人になっても続きます。


雄介さんの場合もこのパターンに当てはまります。

多くの親なら、そういう学歴や職業でしたら、子どもに対して「自慢の子」と言うのではないでしょうか。ところが、雄介さんのご両親は、子どもが成人してもなお「お前はダメな人間だ。もっと頑張らないといけない」と言い続けているのです。努力しても努力しても、雄介さんは一向に認めてもらえないのです。そうした完璧主義の親からの強い刷り込みが、成人した今でも雄介さんを苦しめ続けています。

雄介さんはメンタルが弱ってきたために思考力が鈍り、覚えが悪くなりました。そのため、仕事の効率も落ちてしまうという負のスパイラルに陥りました。彼はずっと「生きるのが辛い、死んでしまいたい」と言っています。そうなるぐらい彼は走り続けて、心身ともに疲れてしまっていたのだと思います。

私は雄介さんに「心と体は連動しているから、肉体的に疲れすぎてもメンタルに来るし、メンタルがやられてしまっても体に来るから、もっと休まないと、急に動けなくなってしまうから少し休んだ方がいい」と言いました。

雄介さんもそれはある程度、理解していました。雄介さんは、私の電話カウンセリングに来る少し前に、適応障害で会社に行けなくなり、半月仕事を休んだ経験があったからです。それでもなお、「人より劣っている自分は、休むことは許されない。走り続けないといけない」と、休む恐怖におびえ、ずっと頑張り続けてしまうのです。

その後、雄介さんが親と別居したと聞いた時、「これで少しは楽になるかもしれない」と期待をしましたが、一人暮らしになっても、親の代わりに会社の上司から「ダメな奴」と言われ続けているのです。たまに「上司が無能だからこうなっている」「自分だけが仕事ができないわけではない」と客観視できている発言をするのですが、すぐに幼少期からの親の刷り込み、概念が雄介さんを締め付け、休むことや楽しむことを許しません。

「もっと自分の能力が生かせる場所があるかもしれないですよ」

「もう少し時間に余裕ができる会社もあるかもしれない」

「何か好きなことをやっても良いのでは？」

「趣味をもって楽しむことも良いのでは？」という提案も強く否定して、「幸せになりたいと思うことはない」「自分みたいな人間は楽しんではいけない」と言うのです。
「そもそも、幸せが何かも分からない」そう言います。

彼は自分が楽になることを望んでいません。そのため、良くなろうと定期的にカウンセリングや心療内科に通うこともしません。

◆自分自身を認めてあげることが対応策

雄介さんのように、自分を認められない人、否定してしまう人には、次のようなことをお勧めします。

・ゆがんだ認知を改善していく。
「自分はだめだ」というフィルターを取り、客観的に自分を見る。
そのままの自分には価値があることを認識する。
・他人の評価がすべてとは思わない。

自己肯定感の低い人は、たとえ他人が評価してくれたとしても心の底からそれを信じることはできません。

褒めてもらえて嬉しいと感じるのは、ほんの一瞬です。

なぜなら、自分自身が自分の事を認めていない、自分を信じていないからです。自分が自分を認めていないと、人からたとえ褒められたとしても「お世辞を言われている」「何か企んでいる」「そんなはずはない」と素直に受け取ることができないのです。自分が自分を認めることが第一です。そして、「自分は楽しんでも良い」「幸せになっても良い」と、自分自身に許可してください。

雄介さんは、心の奥底は、この辛く苦しい状況から抜け出したいと願っているのだと思います。

たまに電話をかけてくるのは、その一瞬の叫びなのだと思います。雄介さんは、本当はありのままの自分を受け入れてくれる場所を求めているのではないでしょうか。雄介さんがその気持ちに気付いてくれることを願っています。

私は、雄介さんには、自分を否定するのをやめ、自分自身を苦しめることから解放されること、そして頑張らない自分も時には許容することを望んでいます。雄介さんは十分に頑張っています。いつも極限まで頑張り続ける必要はありません。雄介さんはそのままで十分に価値がある存在です。

雄介さんは一度だけ「世の中が悪い」と言いました。「こんな世の中を許している政治が悪い、そんな政治家を選んだ国民も悪い」と…

そして以前何か大きな事件を起こそうと思ったこともあると言うのです。

社会になかなか認めてもらえない怒り、能力のある人が上に立つのではなく、前例に沿って要領よく動く人間が出世するこの会社への怒り…たぶんこれが理不尽な扱いを受けている彼の本音だと思います。

◆その後の雄介さん

カウンセリングは雄介さんの言葉に耳を傾け、辛い気持ちを拾い、雄介さんの気持ちに寄り添いながら、客観的に雄介さんのできているところ、良いところを気付いてもらえるように指摘します。

前回の電話から数ヶ月後、しばらくぶりでかかってきた雄介さんの電話は、以前と変わらず、私の言葉を否定していましたが、それでも声の調子が明るくなって変化を感じられました。

目標とする上司に巡り合い、仕事のやり方も変えるそうです。まだ、「人より優れている人にならなければいけない」と思い込んでいる課題は残っていますが、頑固な雄介さんに「それでもあなたは、自分が頑張りたい自分自身になっているということね」と言うと、「こんな自分は大嫌いです」と言いながら、少し明るい声になりました。そして、将来やりたいことを嬉しそうに話すようになりました。私の声がちょっとずつ雄介さんにしみ込んできたような気がします。

「雨だれ石を穿つ」そんな言葉が頭をよぎります。

雄介さんの心の中に、ほんの少しずつ少しずつ、私の言葉がしみ込んでいくことを願っています。

私たちは幸せになるために生まれてきました。

今この本を読んでくださっている皆さんにも、もっと自分に優しく、幸せを追い求めて良いのだと思って欲しいと強く願います。

どんな状況でも、自分が自分を好きでいられるように、できない自分も許し、自分に正直に、自分にとって良いことを少しずつしていくことが、自分を好きになる第一歩だと思うのです。そしてそれが出来れば、たとえ人から認められなくたって自分の価値に変わりがないと、そのままの自分を認められ、今の苦しみから抜けられるのだと思います。

2 親から捨てられ施設で育った男性

これまで数多くの方々の悩みや不安を伺い、カウンセリングをしてきました。その中には、カウンセリングで「救われた」という方や、話しを聴いてもらって「楽になった」という方もいらっしゃいます。

もちろん、すべての方がカウンセリングを受けて良かった、良い方向に向かったという訳ではありません。それでも、自らカウンセリングルームに足を運んだり、お金を払って電話をかけてこられる方というのは、どこかで自分を変えたい、と思っていらっしゃいます。実は、この一歩がまず重要なのです。そんな例をお伝えしたいと思います。

◆ポジティブな男性のはずが…

浩太（仮名）さんは小さな会社を経営している三十代の男性です。

「自分はポジティブな人間です。人間関係にも恵まれているし、会社の社員を家族のように思っています」と言っています。

そんな浩太さんが、カウンセリングを受ける気になったのは、恋人の美沙（仮名）さんに、どうしてもカウンセリングに行って欲しいと強く頼まれたからでした。

浩太さんの悩みは、人から騙されやすいということです。これまで何度も友人からお金を持ち逃げされたり、詐欺にあったりしています。そのたびに浩太さんは、その友人たちを許してしまうのだそうです。そんな浩太さんを見ていると美沙さんは、とても生きづらそうに見えてしまいます。

私から見ても人間関係に恵まれていると言っていた浩太さんでしたが、とても恵まれているようには見えませんでした。

浩太さんは一見ポジティブで、前向きな発言の多い男性です。それでも、恋人の美沙さんから見ると、騙した人を許すことや肝心な話し合いのできない彼との関係に不安を感じていました。

何か相談しても「そんなことを考えても仕方ないよ」「もっと前向きに生きなきゃ」と言うだけで、美沙さんの気持ちをきちんと受け止めようとしてくれません。気持ちをぶつけ合い、理解し合いたいと願っても、浩太さんは向き合おうとしてくれないのです。優しい人だと思いつつも、そんな浩太さんに美沙さんは交際当初からいつもモヤモヤしていたそうです。

一年の交際を経て、浩太さんから「そろそろ結婚しないか？」とプロポーズを受けた時、美沙さんは浩太さんに喜んで「イエス」と言えないことに気がつきました。浩太さんと分かり合えない寂しさに気づき、「別れた方が良いかもしれない」という気持ちが浮かんだそうです。けれども、別れるのをためらう原因もあったのです。それは彼の境遇でした。家族のいない彼の今後のことが心配だったのです。

◆前向きさの裏にあるもの

三十年以上前のことです。

浩太さんは、十二月の寒い日に、廃墟に捨てられていた子どもでした。赤ちゃんの泣き声で偶然通りがかった人が発見し、浩太さんは奇跡的に助かったそうです。彼は、自分を捨てた親は、自分が死んでも構わないと思って捨てたことを理解していました。自分が親にとって必要のない、死んでも良い存在だったと感じること、それが浩太さんの心に与える影響は計り知れません。

助かった浩太さんはその後、養護施設で育ちました。浩太さんが育った養護施設は、当時、子ども同士のいじめが日常的に行われていたと言います。浩太さんは、助けてもらうことも、人に甘えることも許されなかったそうです。信じられないことですが、当時はその施設の大人も、気に入らない子には食事も減らす、意に反するとと無視をするといった対応が平気で行われていたというのです。

浩太さんは常に、「他人のお金で生活させてもらっている以上、好き嫌いを言うな、文句も言うな」と常日頃言われ続けてきました。

そんな生活環境に浩太さんは施設にいるのが苦痛で、中学に進学すると、彼は毎晩遅くまで街をさまようようになりました。施設に帰れば叱られるのが分かっていても、施設にいる時間を少しでも少なくしたかったのだと言います。

実は、一見前向きに見える浩太さんの発言は、自分の希望や望みを押し込めている側面もあります。

「そんなこと考えても仕方ない」

「もっとポジティブに」

という彼の発言は、自分の心を守るための言葉でもあります。

これらは

「どうせ願っても望みは叶わない」

「叶わない望みを考えることは辛すぎるから、考えないようにして生きて行こう」

という自己防衛のような気持ちから出てくる発言です。彼の人に対する優しさも、孤独感から来る「人に必要とされたい」という気持ちから生まれているのだと思います。

もちろん、誰にでもこうした「他人に良く思われたい」願望、という傾向はあるのですが、浩太さんは自己犠牲になってまで、人に良く思われたい気持ちが強いのです。浩太さんのポジティブさは、本当の意味でのポジティブさとは異なりました。

浩太さんは、人の悩みを聞いても、自らの置かれていた境遇と比べてしまいます。他人の話を聞いても、自身が経験してきた困難と比べてしまうため「それほどたいしたことではない」と感じてしまうのです。浩太さん自身が、大きく落ち込んだり、深く悩んだ経験が少ないため、他人の悩みに共感できないのです。もちろん、本当は、彼にその感情が無いわけではありません。自分の気持ちを感じない、見ようとしていないのです。浩太さんは、幼少期から自分の感情を抑え込むことを強いられてきたため、今では自分が何を思っているのかさえ自分でも分からなくなっています。

このような状態は、浩太さんのように厳しい境遇で育った人や、ネグレクトされたり、大人に対して過度に気を使い、自己の感情を抑圧して育った人に見られる傾向です。感情を表現する機会がない環境で育った人は、自らの感情や欲求を表に出すことが難しくなります。泣いたり、怒りを示したりすることなく成長すると、感情を内に秘め、最終的には自分の真の感情を感じ取ることができなくなり、自分が何を望んでいるのかさえも分からなくなるのです。多くの場合、本人はこの状態を自覚していません。

しかし、感情が完全に消失しているわけではありません。ただ自覚していないだけです。そのため、突然感情が爆発したり、コントロール不能な感情に苦しめられることがあります。感情が外に現れない場合でも、心身の不調として表れることもあります。

私たちは生まれ育った環境を変えることはできませんが、今からでもできることはあります。それは、自分自身を大切にすることです。その第一歩として、これまで抑え込んできた自分の気持ちに気づくことが重要です。他人の目を気にするのではなく、自分が本当に望むものは何かを考えてみてください。「今、自分はどう感じているのか」「何をしたいのか」…自分の気持ちに焦点を当て、その感情を受け止めることが自己肯定感の始まりになります。

浩太さんのように、幼少期に親から必要とされず、自分はいらない存在だと感じて成長すると、自己否定や「自分は存在してはいけない」という感情が心の奥深くに根ざしてしまうことがあります。しかし、過去に起こった出来事は、浩太さんの責任ではありません。辛い子ども時代の記憶は、浩太さんが一生懸命に頑張ってきた過去です。そんな自分を認め、愛してあげることが大切です。

◆彼女の決心

美沙さんは、浩太さんが養護施設で育った過去を知り、彼に家庭の温かさを感じてもらいたいと考え、彼を自分の実家にも度々連れて行ったそうです。彼女の母親も浩太さんを気に入り、家族ぐるみでお付き合いが始まりました。それにも関わらず、彼との交際に迷いを感じた彼女は、自分と別れた場合、その後の浩太さんのことが心配でカウンセリングを勧めたのです。もちろん彼が変わってくれて、本気で向き合えるのなら、彼とその後もずっと一緒にいたいと考えていました。本心では浩太さんとの将来を望んでいたのだと思います。

二度目のカウンセリングが終わった後、ある事件が起こりました。

浩太さんは独り暮らしでインコを飼っていましたが、仕事が忙しくなると、平気で一ヶ月も友人宅に預けっぱなしにすることがありました。それに仕事に余裕が出てもすぐに引き取りに行かなかったそうです。彼女はそのことが気がかりでしたが、浩太さんは、「いつも預けているから大丈夫」と美沙さんには言っていたそうです。ある日、その家の猫が浩太さんのインコを殺してしまったのです。

美沙さんは、その預ける友人宅には猫がいたことをその時初めて知りました。話しも出来てとてもなついていたインコでした。そのインコが亡くなった時、浩太さんはその死を少し悲しみましたが、インコを死なせてしまった友人には何も言わず、「不慮の事故だから仕方がない」と言って、少ししてまたペットショップで同じようなインコを飼おうとしていたのです。

事件の後、美沙さんはカウンセリングに来て、「浩太さんとの今後の交際を迷っていましたが、この出来事をきっかけに、別れる決心ができました」と話してくれました。美沙さんは、かわいがっているインコを以前から猫のいる友人にひと月も預けてしまうことも理解できなかったのに、「不慮の事故だから仕方ない」と言って、すぐにまた同じようなインコを飼おうとすることも許せなかったのです。

ところが、浩太さんは恋人がなぜ自分から離れて行ったのかが理解できていません。浩太さんの問題は、浩太さんが自分自身を大切にしていないことにあります。自分を大切にすることができないので、本当の意味でペットも人も大切にし、愛することも難しいのです。

そのことに浩太さん自身が気づいていないのです。美沙さんと別れた後、浩太さんはカウンセリングに来ることは無くなりました。

◆変わろうとすることの重要性

カウンセリングに来て、自分自身と向き合うことは、時としてとても辛い作業になる場合もあります。人は、自分の気持ちを見ないふりをして生活する方が、楽だと感じることがあります。それでも、自分自身の心と向き合い、自分の感情を大切に、それに従って素直に行動できるようになると、人間関係が今よりずっと円滑に、そして良い方向に向かうことも多いのです。

今回のカウンセリングでの問題点は、浩太さんが自らの意思で来た訳ではなかったことにあります。どんなに辛い状況であっても、「自分を変えたい」という自発的な意欲とあきらめない心が、状況を変える上で非常に重要です。

本人が自分自身と向き合う決意が無ければ、カウンセラーがどんなに力になりたいと願ってもどうにもならないのです。


他人に合わせてばかりいて、自分の本当の気持ちを偽り続けると、やがて自分自身を好きでいられなくなります。なぜなら、それは大切な自分の気持ちを裏切る行為に他ならないからです。そのような自己裏切り行為が、生きづらさを感じる根本的な原因となります。

よく、「人から嫌われたくないから人に合わせている」という言葉をお聴きしますが、自分以外の人間が本当は何を望んでいるのかは、実際のところ分かるはずはありません。例え親子関係でさえ、完全に理解し合うことは難しいのですから…

確実に分かるのは、自分自身の感情だけです。自分の気持ちを大切にしてください。自分の気持ちと行動が一致してくると、少しずつでも自己愛が育ち、周りの人間関係にも良い変化が出ると思います。

3　家庭に居場所がない子ども

外から見れば普通の家庭、学校の先生も友達さえも気づいていない、何不自由のない生活に見える家庭の中で、苦しんでいる子どもは存在します。声を上げることも、誰かに助けを求めることもできません。

そんな様子に気づいて、少しでも早く手を差し伸べることができれば、その子の人生は大きく変わります。ぜひ、早い段階で誰かに相談して欲しいと思います。もし、その相談した人が頼りにならなければ、また他の大人に相談してください。きっと手を差し伸べてくれる人は居ると思います。今回はそんなケースをご紹介します。

◆居場所のない翔太（仮名）君

私のカウンセリングのクライエントである父親に連れてこられた翔太君は、当時小学校二年生でした。翔太君はすぐに私にも慣れ、屈託のない笑顔で習っている水泳教室のことやペットの話、お友達のことや先生の話など、いろいろな話をしてくれました。事情を知らない人からすれば、ごく普通の明るいお子さんに見えたかもしれません。

けれど、翔太君は大きな問題を抱えていました。

翔太君の父親は、二ヶ月前から私のカウンセリングルームに通われている方です。そして、最近翔太君の様子がおかしいと気づき、翔太君も何か話したいことがあるのだろうと、彼を連れて来たのでした。

翔太君は日常生活のことを明るく話してくれましたが、父親が席を外した後、一人になると少しして、「家で両親が喧嘩することが嫌だ」という心情を明かしてくれました。

翔太君の両親の夫婦喧嘩は頻繁で、喧嘩が始まると翔太君はたまらず自分の部屋へ逃げ込むのだと言います。彼にとって家庭は安心できる場所とはならず、いつ喧嘩が起きるのかびくびくして過ごす、常に不安を感じる場所となっていました。

子どもの前で繰り返される夫婦喧嘩は、子どもの心に大きな傷を残します。本来ならば、最も安心できる場所となるはずの家庭に安息が無いということは、子どもにとって大きな苦痛です。その状況は、次のような問題を引き起こす原因となります。

◆親の繰り返される喧嘩が子どもに与える弊害

親の喧嘩が子どもの前で、頻繁に繰り返されることは、子どもにとって、大きな精神的ストレスの原因となります。家庭環境の不安定さから、子どもは、不安、恐怖、緊張といった感情を抱え、安心感を得ることが困難になります。これらのストレスは、子どもの心の健康に悪影響を与える可能性があります。特に親の感情的なコントロールの乱れを目の当たりにすることで、子どもはさらなる不安を感じ、感情の混乱を引き起こすことになります。親の喧嘩をモデルにして、暴力的な行動や対立的な行動の兆候が表れる場合もあります。また、ストレスから問題行動を起こすリスクも高まります。

親の喧嘩は、子どもの社会的スキルにも影響を及ぼし、他者との人間関係構築が難しくなることがあります。

さらに、長期間続く親の喧嘩は子どもの心にトラウマを引き起す危険性があり、将来、精神的な健康にも影響を与えることもあります。

このように、親の喧嘩が子どもに及ぼす影響は非常に大きいのです。心当たりのある方は、その関係やコミュニケーションの改善を少し考えてみてください。子どもたちの安全と心の健康を守ることが重要です。

必要であれば家族カウンセリングや専門家の支援を受けることも必要だと思います。

◆母親との関係

三度目に翔太君がカウンセリングに訪れた時に初めて、母親について打ち明けてくれました。翔太君の母親は、自分の男友達に会う際にカモフラージュとして翔太君を連れて行くことがあるそうです。そして、翔太君が、男友達に対して態度が良くないと感じると、母親は彼を無理やり別の部屋に閉じ込めるそうです。もちろん、翔太君はそんな状態が嫌でたまりません。けれども母親は嫌がる翔太君の気持ちを無視して、むりやり連れて行くのです。

翔太君の母親は自由奔放な上に激しい性格の持ち主で、常に自分自身の欲望を優先する人でした。彼女は、機嫌の良い時には翔太君をとてもかわいがり、機嫌が悪くなると彼を理不尽に扱い、突き放すこともあるそうです。

そして、翔太君はこの現状を父親に告げることはできませんでした。「お父さんが可哀相だから、言わないで」という翔太君。まるで親子関係が逆転しているように感じます。翔太君が大人の感情に振り回され、我慢している姿を見て、何とかしてあげたいと、本当に胸が痛みました。

翔太君の「お父さんが可哀想」という気持ちは大切にしてあげたいと迷いはしましたが、翔太君のことを考えると、この問題を父親と話し合わなければいけないと思いました。

ところが、父親自身がすでに妻の浮気を感じ取っているようなのです。その話になると故意に私の話をさえぎり、私の口からその話が出ることを恐れているように見えました。普段強そうに見せている父親でしたが、妻との関係を終わらせたくない気持ちが強く、現実と向き合えない、心の弱さを持っている人だと思います。

表面上の理由は「子どものために離婚は避けたい」ということでしたが、それ以上に、父親自身が妻と別れたくないのだという気持ちが痛いほど分かりました。たぶん、翔太君にもその父親の気持ちが伝わって「お父さんには言わないで欲しい」という言葉が出たのかもしれません。

◆夫婦それぞれの問題

翔太君の父親は再婚でした。前の妻との間にもうひとり女の子がいたそうです。ただ、若かったせいもあり、仕事を優先して家庭を顧みなかった上に、妻以外の女性との関係もあって、離婚することに至りました。その子どもには、離婚後は、ほとんど会っていないとの話でした。この過去が影響しているのか、再婚してからできた翔太君を特にかわいがり、この生活を維持したいと考え、離婚することは考えられないようでした。

翔太君の父親は、とても貧しい家に生まれ、小学校の頃から家の仕事を手伝ってから学校に通っていたそうです。翔太君のお父さんは、父親からのひどい虐待を受けながら育ち、恵まれない家庭環境での生活を強いられていたそうです。

一方、翔太君の母親は、裕福な家に生まれたものの、親からの愛情をあまり受けることなく成長しました。彼女も、親からの愛情を求め続けていたようで、親に認められたい一心で、結婚や出産後も良い生活を送っているように見せ、夫に頼み込んで実家に高価な品物を送り続けています。

◆身勝手な母親に育てられる影響

翔太君は、母親の気分によってかわいがられたり、突き放されたりする環境で育ち、いつも大人の反応を伺う必要がありました。また、両親の絶え間ない喧嘩によって、家庭の中が安心して心からくつろげる場所になりませんでした。

このような環境で育つと、子どもは常に人の顔色をうかがって、自分の気持ちを伝えることが苦手になります。それに漠然とした不安が根付いてしまいます。

翔太君のように身勝手な親に育てられると

・不安感の増大

自由奔放による一貫性のない子育てを行うと、子どもは安心感を得にくく、情緒的な安定を欠くようになります。

・自己肯定感の低下

親の身勝手な行動に翻弄されると、子どもは「自分は親から愛されていないのではないか」という不安や、自分の価値を認めてもらえないという不満を抱きやすくなります。その結果、自己肯定感が低くなり、何をするにも自信が無くなり、生きづらさを感じる原因になるのです。

・ルールや責任感の欠如

親の身勝手な行動を目の当りにすると、子どもは責任感や自制心の発達が遅れ、「何をしても許される」と、誤解することがあります。その結果、責任感や自制心を養うことが難しくなって、社会生活を送るうえで支障をきたすリスクがあるのです。

・依存心の強化

親が身勝手な上に、感情的に安定していなかった場合、子どもに対する感情的な問題やサポートがうまくできません。子どもも感情的な問題やストレスに対応する方法を学びにくくなってしまいます。そのため、子どもは自立することが難しくなる可能性があり、自分の意見や考えを持つことが苦手になって周囲に合わせることが多くなります。その結果、自立心が持てずに依存してしまう傾向が出ることもあります。

・人間関係構築の困難

親の身勝手な行動が日常的にあると、社会的なルールや常識を学ぶ機会が少ないため、対人関係の構築が難しくなり、孤立や疎外感を感じることがあります。

既に親の身勝手な行動に子どもが巻きこまれてしまった場合、改善策は次のようになります。身勝手な行動を見直すのは、行動をとった本人が心を改めるか、あるいは、もう一方の親や周囲も以下のような点に注意することが重要です。

・子どもへの愛情表現

子どもが親から愛されていると感じられるように、積極的に愛情を示しましょう。また、子どもの話に耳を傾け、理解と共感を示すことが大切です。

・子どもにルールや常識を教える

社会生活を送るうえで必要なルールや常識を、教えてあげましょう。また、子どもがルールを守る重要性を理解できるよう指導しましょう。

・子どもの自主性と自立心の促進

子どもが自分の意思や考えを持って行動できるようサポートしましょう。また、子どもが失敗を恐れずに挑戦できるように肯定し励ましましょう。

親が自由奔放で身勝手な行動をとることが、必ずしもこれらの悪影響が起こるとは限りません。

ですが、親の言動が子どもに、どのような影響を与えているかを常に意識し、適切な指導や関わりを心がけることが重要です。

身勝手な親に振り回されてきた子どもは、心の安定を見つけにくいかもしれませんが、周りのサポートで救いを見出すことができます。実際に、親自身も自身の育った環境からの影響を受けている場合もあります。そのため、親子それぞれがカウンセリングを受けて、自分自身と向き合い、自分を受け入れるプロセスを経ることは、お互いを救う道となります。自分が変わることで、子どもとの関係性も改善される可能性があります。

もし、それができない場合には、子どもが親の顔色を伺わなくて済むような環境を整えること、子どもが自分の気持ちを大切にし、自らの意思を表現できるように支援することが重要です。

残念ながら子ども時代はどんな環境でも親に頼らなければいけない状況ですが、社会に出るにつれて、少しずつ自分の自己肯定感を高めていくこともできます。自分の気持ちを素直に伝えられるようにしていくことも可能ですので、あきらめないでください。

もし、健康な人間関係が築くことが難しい場合は、コミュニケーショントレーニングやカウンセリングを受けることもお勧めします。

◆その後の翔太君

翔太君のことが心配だったため、私は個人的なメールでの交流を続け、定期的なやり取りを数年間続けました。実は現在もその関わりは続いています。

翔太君の父親は一年程、毎週カウンセリングに通って来ていました。そして、自身の感情のコントロールができるようになり、一年後には「今の生活が楽しくて仕方ない」という電話が最後になりました。

それから翔太君は高校二年生になった時、私に会いたいと、お小遣いを握りしめ、遠くからカウンセリングルームに足を運んでくれました。

翔太君の話では、結局、ご両親は離婚することになり、神経質で細かいことにいちいち口を出す父親よりも、母親と暮らそうかと少し迷ったそうですが、母親はすぐに恋人を作り、翔太君との同居を望むことはなかったそうです。

母親の行動や価値観は変わりませんでしたが、翔太君の場合は父親を含め、翔太君をサポートしてくれる大人がいたことで救われました。翔太君は私の他にも友達のお母さんや学校の先生にずいぶん助けられたと言います。「大人から助けてもらい、自分で自分のことを考えないと生きていけなかった」と、当時を振り返りました。父親が翔太君の異変に気付いてカウンセリングに連れてきたこと、翔太君自身が素直に心を打ち明けてくれたこと、翔太君のサポートをしてくれる大人がいたことが良い結果に繋がったのだと思います。

子どもは、自分の力だけでその環境から逃げることはできません。大人の目、差し伸べる手がとても重要だということを知っていただけたらと願っています。

4 人間関係が続かない主婦

外からは一見、何の問題もないように見えるクライエントの中には、「たいした悩みではないのですが…」と切り出す人がいます。これらの人々は、家族に大きなトラブルがあるとか、重大な秘密を抱えている訳ではありません。自分自身にも、家族にも、周囲にも取り立てて問題はないと感じていても、心の中に何かを抱えているという方が結構いらっしゃるのです。
この方もそのうちのおひとりでした。

◆何不自由のない暮らしなのに

美佐子（仮名）さんは四十代後半の女性で、夫と子どもの四人暮らしです。子どもたちは成長してほとんど手を離れています。夫との関係も良好ですし、家庭内に大きな問題はほとんどありません。また、幼い頃から両親の愛情を受けて育ち、物理的にも精神的にも何不自由のない生活を送っていて、表面的には何の不満もないと思っています。

ところが、美佐子さんには悩みがありました。それは、築いた人間関係が長く続かないということです。

美佐子さんは明るく社交的で、協調性もあるように見えました。そのため、人から声をかけてもらうことが多く、職場関係も良好だと自認していて特別不満もないと言っています。

自他ともに認めるポジティブな性格で、ネガティブな感情を持つこと、愚痴をこぼしたり、人の悪口を言ったりすることは嫌いです。そんな美佐子さんですから、人に好かれ、自然と彼女の周りに人が集まるのも当然でした。

美佐子さん自身は「人間関係に疲れてしまう。そんな自分を変えたい」と考えているなんて、誰にも想像つかないことだと思います。友達付き合いが嫌いとか、特定の人が苦手だとか言うことではありません。本当は人間関係を長続きさせたいと願っていらっしゃるのです。

前向きな美佐子さんは、「子どもも成人していく中で、これからの人生を充実させたい」と願っています。「もっと楽に、友人達と楽しめる自分に変わりたい」とカウンセリングを受けに来ました。

でも、そう願っているのに、なぜか人の目を気にしてしまい、人と付き合うことに疲れてしまうのだそうです。そして気が付くと、何かと理由をつけては会わなくなり、結果的に人を遠ざけてしまうのでした。


美佐子さんの悩みは一見たいしたことが無いように思えますが、これは、実は多くの方に共通する、生きづらさや漠然とした不安なのです。

◆見えてきた問題

美佐子さん自身は、「自分をポジティブ思考、ネガティブな発言は嫌いで、悩みなどのマイナスなことを人に話すのが嫌いな性格」だと思っていました。

ところが、カウンセリングが進むと、それまで気づかなかった問題が見えてきました。美佐子さん自身は無意識だったのですが、人から良く思われたい、良い人でいたいという気持ちが大きかったのです。そのため、ネガティブな考えを持ってはいけないという気持ちが働き、ポジティブな人間でいようとしていたのです。

もちろん、自分も美佐子さんのように考えてポジティブな行動をとっているという方も多いと思います。ポジティブな人間でいようとすること自体が悪いわけではありません。その根底にあるものが問題なのです。

カウンセリングが進むにつれ、本質が見えてきました。

それは、幼少期の頃にさかのぼります。美佐子さんには、四歳下の弟がいます。彼女の両親は共働きでいつも忙しく働いていました。それでも彼女を大切に、愛情をかけて育ててくれていたそうです。

弟が生まれると自然と弟の方に手が取られてしまい、美佐子さんは我慢することが多くなったそうです。これは兄弟姉妹がいる家庭ならどこにでもある光景です。けれど、当時美佐子さんは親の愛情が弟に移ってしまったと感じていたそうです。そのため、親から好かれたいと、幼いながらに姉として一人で何でもできるところを一生懸命見せようと、お手伝いも進んでやり、親の関心を得ようとしました。親もそれを喜んでくれていたと言います。その上、学校に入学すると、勉強も母親に褒められたくて一生懸命頑張っていたそうです。

たまに美佐子さんが自己主張すると、「お姉ちゃんなのだから我慢しなさい」「お姉ちゃんのくせに自分でできないの？」と言われてしまいます。この経験が小さな彼女に、「お姉ちゃんなのだから、我慢しなければいけない」「自分で何でもやらなくてはいけない」と、精一杯頑張らせる美佐子さんを作ってしまいました。

「親に見捨てられるのが怖い」

「自分を認めて欲しい」

弟に親の愛情を取られたと思い込んだ美佐子さんの心の中には、そうした欲求が無意識に根付いてしまいました。気づかぬうちに「いつも良い子」を演じていたのです。

子どもは無意識に親に気に入られようとする傾向があります。そして、成長してもその傾向が残ることがあります。更に美佐子さんは、いつの間にか、親だけでなく、周囲の人たちに対しても頑張る自分を演じてしまっていました。それが今に続く生きづらさの原因です。

結婚して、子どもを育てた今では、美佐子さんも親の愛情が弟に移ったわけではなく、同じように愛されていたと理解しています。親に対する不満もありません。ただ、幼少期の彼女は、「愛されなくなったと傷ついていた」のです。これが今の彼女の問題につながります。

彼女は、無意識に幼少期と同じように、周囲の人たちに良い人を演じようとしていました。常にポジティブで人当たりが良い人、親切な人であること、完璧にそう思われるように演じること、それを無意識に行なっていたのです。そのため、人と付き合うと知らず知らずに相手に合わせてしまう、相手が喜ぶことを優先して、自分の気持ちや、やりたいことを後回しにして付き合う癖がついていました。

友人に会っても本来の自分ではなく、偽りの自分を演じているため必要以上に疲れてしまうのです。

美佐子さんは「みんなきっとこんな感じで生きているのだ」と、自分に言い聞かせていたと言います。それでも、もし変えられるのであれば、もう少し人生を楽しんでいきたい。それが美佐子さんの願いでした。

◆自己一致の大切さ

自分の心の内面と行動が一致することを「自己一致」と言います。自己一致は、個人の幸福や成長に重要な役割を果たします。自己一致していれば、自分を偽ることもなく、ありのままで、自分らしい生き方を見つけることが出来るようになります。

美佐子さんは、本心では甘えたかった気持ち、もっと自分を見て欲しかった気持ちを隠して、親の関心を得たくて一生懸命親から褒められることをしていました。美佐子さんは自己一致できていなかったのです。

私自身もカウンセラーの勉強をして心理を学んだ時、学び始めた当初は気持ちが楽になりましたが、途中の段階で、少し苦しく感じることがありました。それは、自分が見ないようにしていた本当の心、ごまかしていた気持ちに気付いたからです。

でも、学び続けていくうちに、本当の気持ち、傷ついた自分の気持ちを直視することができました。すると、今まで無理をして合わせていたり、自分をごまかしていたことが、素直に言葉にできたり行動に移せたりできるようになりました。

カウンセリングは、たとえ世間話をしていても、どんなところからでも、肝心な話へと向かうようにできています。美佐子さんの場合も、美佐子さんの話に耳を傾け、幼少期を思いだしていくことで、本人が忘れていた過去や、隠していた気持ちに気付くことができました。そうやって幼少期の自分自身を振り返ることで、素直に頑張っていた自分を客観視できるようになりました。

長い年月、一生懸命良い子で居続けた自分自身は「愛おしい存在」です。その自分を認めて褒めてあげることで、もう他者に素直に気持ちを伝えて良いこと、自分らしくして良いこと、自分を偽らなくて良いことを理解するのです。

◆自己一致した美佐子さんのその後

美佐子さんは本当の自分、傷ついた幼少期を思い出して、自分が今まで無理をしてきたことを理解しました。そして、そのままの自分自身を認めたことで、その後、人からの目を気にすることも少なくなりました。人に頼れるようになり、素直に自分の気持ちを言えるようになったそうです。そのことによって、友達とも以前よりもっと親しくなれたそうです。

「常に良い人でいなくても良い」

「自分らしくいて良い」と、そのままの自分自身を受け入れたことで、本来の自分を出すことができるようになりました。そして、自分を偽ることが無くなったので、人づきあいも前ほど苦にならなくなったのです。自分の気持ちを言うことで人から嫌われるのではないかと思っていましたが、自分の気持ちを伝えたことでさらに友達との関係も近くなったと言います。人間関係も自然と変化し、昔からの友達とも月一回のペースで会うようになったそうです。

家族間での変化もありました。子どもたちやご主人とも本音で話が出来るようになり、今では家族の間でも会話が増えたと言います。

まだ時折、人に合わせてしまう癖が出る時もあるそうですが、気持ちを伝えることができるようになった少しずつの変化が、成功体験になり、それが美佐子さんの自信になりました。

美佐子さんが望まれたとおり、人生を充実させたい、もっと楽に、友人たちと楽しめる自分に変わりたいという願いが、これからも実現できていくことを心から願っています。

第二章

いびつな家族関係

1　父親から性的虐待

性被害を受けた子どもは、様々な生きづらさを抱える可能性があります。生きづらさは個人によって異なり、年齢や状況によっても変わります。幼少期には大好きだった父親から受けた性被害者、みどりさんの例をご紹介したいと思います。

◆軽く扱われる関係

みどり（仮名）さんは二十代後半、カウンセリングに来たのは、恋愛が長続きしないという理由からでした。

彼女の恋愛にはパターンがあります。恋人に依存しすぎて、いつも嫌われて恋愛が終わってしまう、それも長続きしないという問題です。

先日別れた彼とは、みどりさんの部屋で同棲をしていたそうですが、わずか二ヶ月で彼が出て行き、その後電話も着信拒否、ＬＩＮＥもブロックされ、音信不通になったのだと言います。

同棲と言っても、たった二ヶ月の間に、彼の気分で友達と遊ぶと言ってみどりさんの部屋に帰らないことが何度もあったそうです。そのため、みどりさんと彼との間に喧嘩が絶えなかったと言います。

みどりさんは「いつも男性に優しくされたい」「大事にされたい」と思っていますが、それとは逆に軽く扱われることがほとんどでした。それに、深い関係になったとたん、冷たくされることも多く、いつもそのたびに傷ついているのだそうです。

カウンセリングルームに来たみどりさんの印象は、見た目はかわいい女性です。それなのにどこか自信なさげで頼りなく、何か問題を抱えていることは、カウンセラーから見てすぐに理解できました。

◆信頼が崩れた親子関係

カウンセリングが進み、みどりさんの家庭環境の話になった時、急に泣き出し、話すことが出来なくなりました。それからみどりさんが口を開くまでは数分かかりました。

彼女が一番辛く、思い出したくもない話、誰にも言うことが出来なかった過去を話し始めたのです。

実は、みどりさんは十代の頃、父親から性的虐待を受けていました。それまでみどりさんは、父親のことが大好きだったそうです。母親よりも優しく、大好きだった父親からのその行為が信じられず、彼女は子ども心に「誰にも言ってはいけない、特にお母さんには」と、強く思ったそうです。それからというもの、母親といる時には、気付かれないように、無理して父親と話をしていましたが、みどりさんは父親とふたりきりになることを怖がり、ふたりになることを極力避けて暮らしていたそうです。

それでも、どうしても父親とふたりになってしまう時間もあり、性的虐待はその後も続きました。

十八歳になった時に、ずいぶん悩みましたが、思い切って母親に打ち明けて、助けを求めようとしたそうです。ところが母親の反応は信じられない、意外なものでした。

彼女の気持ちを無視して、自分の感情をみどりさんにぶつけたのです。母親は泣きながら彼女を責めました。

「なんてことしたの？なぜ初めてそんなことがあった時に私に言わなかったの？ずっと黙っていたなんておかしい。あんたが色気出してお父さんにべたべたしたからでしょう…ひどい」

「あんたはもう大人なのだから、この家から出て行って！」と、声を震わせ涙を浮かべ、自分の言いたいことだけ言ってその場を立ち去ったそうです。母親は、みどりさんの傷ついた気持ちを考えることなく、大声で責め立てたあげく、みどりさんを残し部屋を出て行ってしまったのです。

みどりさんはひどく傷つきました。父親からの性的虐待に加え、頼みの母親から見放された絶望感。みどりさんは何も悪くはないのに、泣いている母親を見て、「自分のせいで不幸にしてしまった」と思ったそうです。

それから、高校には行かずにアルバイトをしていたみどりさんは、母親から引っ越しのお金をもらい、翌日すぐに言われるままに家を出て、部屋を探す間友達の家に泊めてもらい、ひとり暮らしを始めました。

意を決して、打ち明けた時の母親の反応にショックを受けた彼女は、見捨てられた絶望感、寂しさ、悲しさ、そして愛されていないと強く感じたそうです。

心の中に、「自分は愛されない」「価値がない」「自分のせいで母親が不幸になった」という思いが沸き上がりました。心の奥の潜在意識に「自分は存在してはいけない」という否定的な気持ち、親から見放された「不安感」「見捨てられた」という絶望感が根付きました。

その後、彼女は男性との距離感がおかしくなりました。女友達といても男性が気になります。常に意識が男性に向かい、無意識に誘うようなしぐさをしてしまい、女友達からは嫌われ、距離を置かれるようになりました。

私は、みどりさんの態度が、男性から軽く扱われる原因になっているように感じました。みどりさんの中にある、「自分自身を大切にできない気持ち」が、無意識に、男性に軽く扱われるように行動してしまうのだと思います。

◆その後のみどりさん

みどりさんの依存してしまう本当の理由は、「親から裏切られた」その時の不安な思いから来ていました。その気持ちに気づいたみどりさんは、今の自分にフォーカスします。

幼少期のみどりさんは、親が居なければ生きていけないような弱い存在でした。でも、今のみどりさんは成人し、自分で生活できています。親が居なくてもひとりで生きていけるほど成長したのです。

そのことをみどりさんは理解しました。

「お母さんを思いやった優しい自分」と「今もなお苦しい気持ちが残る過去」は、子どもの頃から一生懸命頑張って来た、健気なみどりさんの歴史です。

「思いやりのある優しい自分」「子どもながらに一生懸命生きて来た自分」どれも愛おしい自分自身

です。なかなかすぐにはできませんでしたが、少しずつその事を理解して、認めていきました。彼女のカウンセリングは、二年ほど続きました。

彼女が来なくなって三年ほどしたある日、カウンセリングの予約が入りました。

彼女は結婚していたのです。結婚して変化した自分をどうしても見て欲しいとカウンセリングルームに来てくれました。ご主人と五ヶ月になる男の子を抱いて「先生に会って、自分の過去と向き合い、自分が少しだけ好きになりました。先生が言うように、自分を大切にしていったら、そのあと出会った主人から優しくされるようになって結婚できました。どうしても子どもと主人を見せたくて来てしまいました。本当に先生のおかげです」

カウンセリングでとても幸せな瞬間です。みどりさんが連れて来た男性は、私に少し照れながら優しい眼差しで、みどりさんと子どもを見ていました。

彼女が立ち直れたのは、彼女自身が自分と向き合う勇気を持てたこと、あきらめなかったことです。

私が「人には良くなろうとする力が備わっています。良い方向に向かったのは、みどりさん自身の力ですよ」と言うと、涙を浮かべて微笑みました。

【性被害の影響】

・心理的トラウマ

性的被害は、深刻な心理的トラウマを引き起こす可能性があります。そのため、不安、うつ、恐怖、自己嫌悪、フラッシュバックなどを起こす原因になります。

・信頼関係の問題

被害者は、他人や大人に対して、信頼できなくなる可能性があります。これは、人間関係を築く上で大きな影響を与えてしまいます。

・学業や仕事への影響

トラウマは集中力や学習能力に影響を及ぼす可能性があります。そのため、学業や将来の職業生活に影響を与えてしまいます。

・社会の孤立

性的被害にあい、恥ずかしさや差別や偏見などにより、子どもは孤立し、友人、家族との関係が損なわれることがあります。

・感情的、行動問題

イライラや怒り、自己破壊的行動、リスクを伴う性的行為など、感情的または行動的な問題を起こす場合があります。

性被害にあった場合、複雑でいろいろなケースがありますが、自尊心や自己肯定感が著しく低下してしまう事もあります。そのため、他者から自分が価値のある人間であるという確認を得ようとする場合があります。意識していなくてもその確認を性的な成功や男性からの注意で得ようとしてしまうことがあるのです。性被害によるトラウマから逃避するために、一時的な快感や注意を求める行動に出ることもあります。

みどりさんもその傾向があるようでした。

また、一部の被害者が自分自身を精神的、感情的、物理的に傷つける形で行動する場合があり、その背景にはしばしば深刻な心的外傷や混乱が存在します。

では、性的被害にあった場合には、どういう対応をしたらよいのか、少しお話ししたいと思います。

【性被害の対応策】

実は、性被害は初めて被害を訴えた時の周りの反応が肝心なのです。その対応が回復を左右します。

信じられない気持ち、動揺は勇気をもって訴えた被害者を傷つけてしまう場合があります。

・使ってはいけない言葉

「そんなはずはないでしょう」

「どうしてそんな事になったの？」

「嘘をついているんじゃないの？」

「このことは、誰にも言ってはいけない」

などの言葉は、勇気をもって話してくれた子に、

「信じてもらえない」

「非難された」

「人に話すことは悪いこと」と感じさせます。

性被害にあってその出来事を打ち明ける事は、とても勇気のいる事です。信じてもらえない、責め

られたと感じること、親の混乱した態度は、さらに子どもを傷つけます。

・使って欲しい言葉

「あなたは悪くない」

「話してくれてありがとう」

勇気を出して自分に話してくれた子どもに、できるだけ落ち着いて話しを聴いてあげてください。

性的暴力は、加害者が悪いのです。

「あなたが悪いのではない」とはっきり伝えることが大切です。

不安定な感情は当たり前の感情だと思い、そのまま受けとめてあげてください。

その後、爆発的な怒りやパニックなど、激しい気持ちの落ち込みが起こるかもしれませんが、それは正常な反応です。そのことを分かるように話してあげましょう。

この怒りや恐怖、コントロールのきかない気持ちに恐怖心を抱くこともありますが、しっかり感じることが回復を早めます。なるべく共感して支えましょう。

混乱が激しい時にはいろいろ聞きすぎないことも大切です。

「誰に、何をされたか」だけを簡潔に。専門家でない人が下手に聞くと良くないので、できれば専門家の力を借りましょう。

人の心を壊す、性加害者が居なくなることを心から願っています。

2 毒親

毒になる親、という意味の「毒親」という響きは、親の立場からすると抵抗を感じてしまいますが、いろいろな場面で耳にする言葉になりました。私自身もカウンセリングの勉強をするまでは、子ども達にとって毒親だったと思います。

「今まで育ててもらったのだから、親には感謝しなければいけない」「親孝行するのは当然だ」というのは当たり前と思う方も多いと思いますが、それが通じない親子関係もたくさん存在します。今回は、毒親についていくつかの例をご紹介したいと思います。

（ケース1）「あなた達は毒親です」と娘から言われた男性

カウンセリングに来る方の中に、毒親についてのご相談はあるのですが、「自分が毒親」と言ってご相談に来る方はあまりいません。親として愛して育てたという気持ちが、実は子どもを苦しめていたと受けとめることは、なかなか難しいのだと思います。

今回は、そのまれなケースをご紹介します。

◆自慢の娘のはずが…

カウンセリングを受けに来たその男性、勇（仮名）さんは、七十代半ばの威厳のある紳士的な印象の方でした。子育ても終わり、孫も出来てそれなりの良い人生だと思っていたそうです。

「良いお嬢さんですね」と、昔から言われてきた自慢の娘の美咲（仮名）さんは、頭もよく一流大学を卒業後、世間でも良く知られている会社に入社し、社内結婚を経て、数年前に女の子も生まれました。自分としては孫の成長を楽しみに暮らしていたと言います。

ところが先日、美咲さんから電話で「あなた達は毒親です。あなた達のせいで私はずっと生きづらく、子育てにもとても苦労している」と言われたそうです。その翌日、勇さんと奥様の所へ毒親について書かれた本が送られてきました。

それから毎日のように美咲さんからの電話で、昔言われたことやされたこと、嫌だったこと、過ぎてしまったことを責め立てられているというのです。

「今まで何も言わず、反抗されたこともほとんどなかったから、そんなに嫌だったなんて思ってもみなかった。なぜ何も言わなかったのか」と、夫婦で理解できず、どうしたらよいのか分からないと、カウンセリングにいらしてくださいました。

◆「ねばならない」の弊害

カウンセリングが進むうちに「どうして言わなかったのか？」という疑問は「言えない状況を自分達が作っていた」ことに気付きました。少しでも良い人生を歩いてもらいたいために、娘にいつもか

けていた親からの言葉は
「良い大学、一流企業に行くために勉強できなければいけない」

「人から認められなければいけない」

「優れた人になるために遊んでばかりいてはいけない」

その他、いろんな「ねばならない」の概念を娘に植え付けていたことが分かりました。

◆美咲さんの苦悩

美咲さんは、とても素直な娘さんでした。厳しい父親に反抗することもなく、一生懸命親の期待に応えようと努力してきました。学生時代もみんながカラオケや旅行に行く話を聞いても「今は勉強第一、大学に入ったら好きなことをしよう」と我慢していたそうです。ところが、大学に入り、友達を作ろうとしても、どう作ったら良いのか分かりません。美咲さんはいつも学校と塾の往復で、いつの間にか同世代の子と何を話せばよいか分からなくなっていたそうです。それでも美咲さんは、サークルに入れば友達ができると思い、自分のできそうな文科系のサークルに入りました。でも、そこでも浮いてしまい、いたたまれなくなってやめてしまったそうです。彼女はすっかり人間関係が苦手になっていました。

その後一流企業に勤め、仕事をする中で、苦手だった人間関係も少しずつ改善していったそうです。三年ほどして、仕事を教えてもらっていた今のご主人と結婚しました。その後子宝にも恵まれ、女の子を出産しました。美咲さんはそれを機に、会社を辞めて子育てにしばらくの間専念しようと考えたと言います。

ところが、専業主婦になって娘といる時間が増えた時、問題が発生しました。美咲さんは、自分の子どものわがままや失敗を許せなかったのです。ご主人やおじいちゃん、おばあちゃんが、失敗した娘に対して、にこにこ笑って接している光景が我慢できなかったそうです。

失敗と言っても、まだ幼児のやることです。子どもらしい無邪気さや、うまくできないことがあっても当たり前の時期なのに、「なぜこの子は、許されるのだろうか？」「なぜこんなわがままを言うの？」と否定的な気持ちと常に葛藤するようになったと言います。

◆子どもを許せない心理

美咲さんは、自分が厳しく育てられたことで、無意識のうちに子どもに対して高い期待を抱いていました。そして自分が親から厳しいコントロール下で育ったために、子どもに対してもコントロールしようとしてしまったのです。でも、まだ子どもは小さく、ご主人は子どもをのびのび育てようとしていたために、美咲さんとぶつかることも多かったと言います。そして美咲さんは、常に自分に自信が持てないために、ストレスや不安を大きく感じていたのです。

子どもに対する嫌な感情が出て、「自分は他の人と違う。どこかおかしい」と感じて心療内科に行くことにしました。

そしていろいろネットなどで調べた結果、毒親の記事を見つけて、自分の親が毒親だったことに気が付いたそうです。「自分のこの生きづらさは親のせいだった」と分かった時は、親に対する憎しみでいっぱいになったそうです。

彼女は、今は、住んでいる地域の近くのカウンセリングに通って、子どもに対する接し方も随分よくなったそうです。

親への憎しみもすべて無くなったとは言えませんが、子どもを連れて実家に泊まりに行くこともあるそうです。

【毒親と言われた親が子どもとの関係を改善するためにできること】

・自分の言動が子どもにどんな影響を与えていたのか、客観視する

子どもや家族以外の第三者に相談するか、カウンセリングを受けることも有効です。

・親自身の心を安定させる

親自身の心が不安定だと、子どもに影響を与えるので、コントロールできるようにできるだけストレスを溜めこまないように工夫しましょう。

・子どもの人生に干渉しすぎないよう気を付ける

子どもの人生に過度に干渉することは、子どもの成長を妨げることになり、親子関係を悪化させる原因となります。子どもの意思を尊重し適度な距離感を保つようにしましょう。

・ありのままの子どもを受けいれる

子どもを自分の理想通りにしようとせず、そのままの子どもの姿を受け入れ、子どもの個性、意見を尊重して、否定的な言動は避けましょう。

・子どもと向き合う時間を増やす

子どもの話をよく聞いて、共感的な態度で接すると親子関係を改善することにつながります。また子どもの側も親の変化を受け止め、信頼関係を築く努力をする必要があります。親に過度に期待しすぎず、少しずつ距離を縮めていくようにしましょう。

・子どもに感謝する

子どもに感謝の気持ちを伝えましょう。子どもは親の存在を当たり前に思っているかもしれませんが、親から感謝の言葉をもらうことで、親の存在をより身近に感じることができます。親子関係を改善するためには、時間と努力が必要です。親と子どもが心から信頼し合える関係を築くことができれば、それは大きな喜びとなるでしょう。

【毒親にならないための考え方】

子どもとの関係を健全にする考え方をいくつかご紹介します。

・子どもの意見を尊重する

子どもの意見を否定したり、自分の意見を押し付けたりせず、まずは子どもの意見をしっかりと聞きましょう。子どもの意見を尊重することで、子どもは自分の存在を認めてもらえていると感じ、親子関係が良好になります。

・子どもの失敗を許す

子どもは誰でも失敗をします。子どもの失敗を責めたり、叱りつけたりせず、失敗から学ぶ機会を与えましょう。子どもの失敗を許すことで、子どもは安心してチャレンジすることができ、親子関係が良好になります。それに、失敗してはいけないと教えることは、「失敗したら終わりだ」という不安感を植え付けます。一生一度も失敗をしない人生などはありません。それよりも失敗しても「大丈夫、じゃあ次はどうしたらいいかな」というように、失敗しても何かしらの道があるということを教える方が、生きる力になります。

◆親子の希望

この場合、ご両親が娘さんの苦しみを理解し、自分たちの接し方、考え方を変えることで、親子の溝ができた関係に新たな関係を築ける可能性が出てきました。
「そんな昔のことを言われてもどうにもならない」と思うのではなく、「これだけ傷ついて辛かったんだ」と、理解することが大切です。同じ話が出てくる場合は「本心から両親に理解されていない」と感じている場合が多いのです。

勇さんの親として良かれと思った行動は、美咲さんを生きづらくさせていました。そのことに気付いた時、勇さんは声を出して泣きました。「立派な子に育てたと思っていた…自分たちは、美咲さんから毒親と言われても仕方のない存在だった」と心から反省したようでした。自分たちの過ちを理解し、これからは美咲さんと新たな関係を築いていきたいと言っていました。

このケースのように親御さんが毒親だったと認めることはあまりありません。たいていの場合は、

「そんなつもりはなかった」「覚えていない」「そんな昔の事いつまで言うの？」と言い返されて終わるケースがほとんどです。どんな育て方をしても、傷つけていても「子どもを愛していた」と、本人たちは思っているので、それを認められない方がほとんどです。

（ケース2）　毒親育ち

俊哉さん（仮名）は四十代の独身男性で、カウンセリングを受けに来た時、「今までいつも母親の言う事を聞いてきました。でも、そのおかげで自分の人生を壊されてきたように思います。ネットでいろいろ調べていたら、どうも自分の母親は毒親みたいで、どうすればよいのか分からないのです」とご相談に来ました。

俊哉さんは、つい最近まで実家で母親と父親三人で暮らしていたそうです。俊哉さんの母親は、

「あなたはダメね…私がいなければ何も出来ないのだから」

「私の言うことを聞いていれば間違いないのよ」

というのが口癖でした。俊哉さんに何をするにもいろいろ口を出してきて、着る服や友達関係、進学、

就職と母親が今まで全て決めていたそうです。

俊哉さんは大人になっても母親の言うことを少しも疑わず、「母親の言うことを聞いていれば何も心配することはない。母さんは自分のことをよく知っていて、母さんの言うとおりにしていれば間違いはない」と思っていたそうです。もちろん今まで全部言いなりになってきた訳ではありません。

でも、俊哉さんが母親の意に反したことをすると、俊哉さんの母親は、大声で怒鳴ったり、泣いたり、体調を崩したりしてしまうのです。そのため結局、母親の言うことを聞いていた方が家庭の中は円満、どこかあきらめのような気持ちもあったようでした。これは俊哉さんの父親も同じだったみたいです。

「良く考えてみたら、母さんは僕のことを一番に考えてくれている。そう自分に言い聞かせている部分もあったのかもしれない」と俊哉さんは言いました。

そして母親は俊哉さんの異性問題にも口を出し、女性と交際するたびに、母親がその女性の悪いところを指摘して「お付き合いするのはやめた方が良い」と、俊哉さんに言い続け、結局俊哉さんは母親の言うとおりだと思ってしまい、いつも交際は長くは続かなかったと言います。俊哉さんは、女性とたいした交際もせず、結婚もしないまま四十歳を過ぎてしまったそうです。母親は「よほどできて優しい嫁じゃなければ、結婚なんて苦労するだけ、良い女性が現れるまで俊哉はこのまま私たちと一緒にいればいい」と言い続けていました。

素直な俊哉さんは、幼少期からの「私の言うことを聞いていれば間違いないのよ」という母親の言葉を当たり前のように聞いていました。三十代後半になり、友達に未だに実家住みはおかしい、母親との関係も変だと言われ、これまでのことを振り返りました。実は昔から、他の家の家族と比べて、少し違和感は感じていたそうです。ネットなどでもいろいろ調べるうちに、自分たちの親子関係が異常なことに気が付いたそうです。

俊哉さんは自分の人生を生きたいと決心して、四十過ぎになって初めて家を出てひとり暮らしをすることにしたそうです。

◆母親の都合の良い人生

俊哉さんはひとりになって今までのことを振り返りました。そして、これまでの自分の人生が、母親にとって都合の良いように誘導されてきたことに気が付きました。何をやるにも母親が決め、「あなたのためだから」と言い、母親の意に反することをすると、母親がおかしくなるので、俊哉さんも自分の意思を通すのは悪いことと思ってしまいました。結局母親の機嫌が良くなって欲しいと、言いなりになってしまっていたのです。

俊哉さんは、ひとり暮らしを始めて、やっと自分の人生を客観的に見ることが出来るようになったそうです。そしてすぐに、自分の母親の異常性に気が付きました。

「僕のためを思ってくれている」と思ったことは、すべて「母のため」だと分かりました。これまでの自分の人生が、母親の都合の良いように誘導されてきたことに気が付いたのです。

「自分の母親は毒親だった」そのことが分かった時、俊哉さんは今までの自分の人生を後悔しました。

そして、それ以来、母親に対する憎しみで苦しむことになりました。ひとり暮らしを始めたのをきっかけに、母親と距離をとるようになりました。それでも、初めの頃はメールの返信が少し遅れるだけで、仕事中でもお構いなしに何度も電話をされてしまったそうです。後に分かった事ですが、母親はパーソナリティ障害と診断されました。

【毒親の対処法】

・自分の感情を理解する

毒親育ちで苦しむ人は、自分の感情に蓋をしてしまう傾向があります。でも、自分の感情を理解しないで、無理に関係を改善しようとしても、かえってこじれる可能性があります。「悲しみ」「怒り」「不安」「恐怖」「寂しさ」などの感情が出てくるかもしれません。自分の感情を受け入れることで、自分自身を客観的に見つめ直すことができます。

・親の行動の背景を理解する

毒親の行動は、親自身が過去のトラウマや精神疾患などの問題を抱えている可能性もあります。必ずしも悪意から行われているとは限りません。親の行動の背景を理解することで、親を責めずに、ただただ受け入れられるようになる場合もあります。無理して理解しなくてはいけないと思うことはありません。また、親を理解することで自分自身を責める気持ちも和らぐこともあります。

・親とのかかわりの範囲を決める

毒親の行動を完全に変えることは難しいかもしれませんが、自分のコントロールできる範囲を決める事で、関係を改善する糸口を見つける事ができます。

ルールを決めましょう。（例）

・親からの電話やメールを一定の回数までしか返信しない

・親と会うときは自分が安心できる場所や時間帯を選ぶ

具体的な対処法

・心の防護壁を築く

毒親の攻撃的な言葉や態度から自分を守るために心の防護壁を築きましょう。そのためには自分の価値観や信念をしっかりと持つことが大切です。

・家族以外の人間関係を強化する

毒親以外の頼れる存在を見つけることで、精神的な支えを得ることができます。信頼できる友人や恋人、他の家族のサポートを受けましょう。

・距離を置く

毒親との関係があまりにも悪化している場合は、距離を置くことも検討しましょう。親と会う回数や時間を減らす、親が住んでいる地域から離れるなどの方法があります。

ただし距離を置く事は親との関係を完全に断つことではありません。あくまでも、自分自身を守るために必要な手段であることを忘れないようにしましょう。

また、毒親との関係改善を目指す際には、カウンセリングを受けることもお勧めします。

毒親との関係を改善することは決して簡単なことではありません。それでも、自分の感情を理解し、親の行動の背景を理解することで、少しずつ関係を改善していくことができます。自分を大切にしながら前向きに取り組んでください。

◆俊哉さんのその後の行動

母親の問題行動を考える

- 自分の思い通りにしようと電話やメールを頻繁にする
- 大声で怒鳴る、暴れる
- 都合が悪くなると寝込む

ということです。

これに振り回されないようにしました。

俊哉さんがしたこと

まずは、母親との距離をとりました。

母親には「仲良くしたい…でも今までのようなことをしたら距離を置くから」と宣言しました。今までは母親が問題行動を起こして、俊哉さんや父親が仕方なく言うことを聞いてしまいましたが、それが母親にとっての成功体験となっていたことを理解しました。

離れたこともあり、俊哉さんはその態度には反応しないで過ごせるようになりました。問題行動をされた時には、今までみたいにならないように、徹底して母親との距離を取りました。メールや電話が頻繁に来るなら着信拒否。それをしなくなったら解除。俊哉さんから連絡します。実家に行った時も、俊哉さんに余計な口出しをしてきた時には、すぐに俊哉さんのマンションに帰りました。そしてうるさく電話やメールが来た時には、電話に出ない、返信しないと宣言。うるさくしなくなったらこちらからメールをするなど優しく対応するようにしました。

母親への接し方を変えた俊哉さんは、その後ご両親との関係も以前よりは楽になってきたと言います。一人の時間も増え、婚活アプリでお付き合いする女性も出来、彼女とは結婚を前提に付き合っているそうです。彼女のことは、まだご両親には邪魔されたら心配なので話していないそうです。「入籍してから両親には話します」と言っていました。

カウンセリングに来た当時は、母親への憎しみも大きかったのですが、今では少し薄らぎました。「母親に自分の都合の良いように人生を誘導されていたと思っていましたが、結局、自分が母親の言うことをきくという選択をしてしまったことが悪かったんだと思います」と、自分の行動も客観視して、これからは後悔のない人生を送りたいと話してくれました。

3　子どもを愛せない母親

無条件で子どもができれば愛せると思っている人は多いでしょう。産まれる前は、生まれることを心待ちにしていたはずが、実際には子どもが生まれてから、その子を愛せないで苦しむ人もいます。

「自分は異常なのではないか」と思い込み、その感情を誰にも言えずに自分を責め続ける人たちがいます。今回は、そうした方のお話をしたいと思います。

◆どうしても自分の子どもが愛せない

秋穂（仮名）さんは四十代の女性です。彼女はうつむきがちに椅子に座りながら「先生…私異常なのです。娘がどうしても愛せないんです」と、涙ながらに私に訴えました。

秋穂さんは、中学生の娘、紗江（仮名）さんとご主人の三人暮らしで、無口なご主人に不満があるものの、まあまあ家族仲は良く、一見すると何の問題もないように見える家族です。表面的には、紗江さんとも友達のような関係だと言います。ところが、心の中は紗江さんに対して嫌悪感を持っていて、常に葛藤していると言うのです。秋穂さんが言うには、紗江さんはとても素直な性格で親に反抗することも無く、周りからは「優しい娘さんでうらやましい」と言われるそうです。そのたびに、心の中で娘の紗江さんに対して嫌悪感が出てしまいます。彼女はなるべく自分の気持ちを悟られないように過ごしていると言うのです。

ところが、中学三年になった頃から紗江さんの様子が変わってしまいました。外に出るのを嫌がり、不安を口にします。そして、イライラすることが増え、今まで言ったことのないような暴言を吐いたり、夜遅くまでゲームをして朝起きることも出来なくなりました。外に出る時もいつも人の目が気になると言い、外出することも嫌がり、学校に行くことさえも困難になったと言うのです。

秋穂さんは、不登校の原因は学校にあるのではないかと思い、いじめが無かったか、紗江さんの友達の親御さんや先生に聞いて回ったそうです。でも、誰も思い当たることはないという返事しか返ってきませんでした。紗江さんに聞いても「いじめられてはいない、でも、人の目が怖い、何か言われているのではないかと気になって、授業にも集中できない」と、泣くばかりでした。そのうち、秋穂さんが朝起こそうとすると、物が飛んで来るようになりました。それだけでなく、気に入らないことやうまくいかないことがあると、すぐに暴言や手あたり次第そばにある物を秋穂さんに投げつけるようになっていきました。

次第に秋穂さんは、娘の紗江さんの顔色をうかがい、びくびくしながら生活するようになったそうです。あんなにおとなしかった娘だったのに、娘の紗江さんのことがますます嫌いになって、離れたいと思うようになりました。高校は宿舎のある学校に行かせたいと考えるようになりました。もし、それができなければ、自分が何もかも捨てて家を出ようと思っているそうです。

あまりの変わりように夫婦で紗江さんを説得して精神科を受診すると、社会不安障害と診断されました。秋穂さんは目の前が真っ暗になり、どうしたら良いのか途方に暮れました。

【社会不安障害とは？】

自分が他人からどう見られるか、どう思われるかを過度に心配することで不安を感じて、人間関係を避けたり、耐えたりすることによって、かなり苦痛に思ってしまう、または生活に大きな支障があるという精神障害です。（対人恐怖症とほぼ同義）
＊ただの「内気」「人見知り」とは、単に知り合いのいない飲み会などを怖がると言ったもので、混同されやすいのですが、社会不安障害とは異なります。
社会不安障害は、人と会ったり、人前に出たりするたびに毎回、動悸、下痢、震え、発汗、パニック発作といった不安症状が繰り返し起こることで、日常生活に支障をきたし、症状を避けるためとし

て、人と会うことや外出を避けるようになるのが特徴です。

この病気が発症するまで、秋穂さんは娘さんのことを表面上は、良い関係を築いていたと思っていました。精いっぱい母親として普通にふるまっていたと思っています。それなのに社会不安障害になってしまった紗江さんは、彼女から見ると、嫌な存在でしかなくなったと言います。それでも、彼女から聞く紗江さんの話は、母親への思いやりが見て取れました。それなのに彼女は、自分に見せる紗江さんのその思いやりも否定してしまいます。

【子どもを愛せなくなる理由】

子どもを愛せない理由にはいくつか原因になる要素があります。

例えば

自分が幼少期に子どもらしい経験をさせてもらえなかった場合、子どもを愛せば愛するほど、嫉妬心が出てかわいがることができなくなる場合があります。

「なぜこの子はこんなにわがままにできるのか？」
「なぜこの子は、こんなことをしているのに家族に愛されているのか？」
そして
子どもが思い通りにならない事で「ダメな親」だと自分を責め、嫌な気持ちになるため、その原因を作り出した子どもを嫌いになることもあります。これはいずれも「自分自身を愛せていない」から起こる現象だと考えられます。他人にはある程度の距離感をもって接することができても、子どもになると距離が無くなり、自分に接するようになる場合があります。子どもを否定する、きつく当たるのは、自分自身に優しくできない、自分に嫌悪感を持っている可能性があります。

秋穂さんは幼少期に親の顔色を見て育ちました。いつも喧嘩の絶えない家庭で育ち、仲良くして欲しくて一生懸命明るくふるまっていたそうです。そして、母親が言う、近所の人の悪口や父方の祖母の愚痴などをいつも聞かされていたと言います。それに、秋穂さんは、目の前で毎日のように繰り返される両親の喧嘩も見て育ちました。秋穂さんは、いつもケンカが始まるのではないかと、びくびくしていたそうです。おまけに母親は、近所の人のこともいつも悪く言い、周りは敵だらけという誤った情報を秋穂さんに植え付けてしまいました。

そのせいで、秋穂さんは大人になっても人の目が気になり、大声や争いごとに過敏になってしまいます。そのため、家の中で娘の紗江さんが物を投げたり、大きな声を出す様子を見ると、無意識に幼少期の体験時の感情が呼び起こされて恐怖心が出ていました。そして、自分が嫌がる行動を娘がすることで、なおさら嫌いだと思うようになっていたのです。

秋穂さんは自分自身が好きではありませんでした。仕事に行っても人間関係でつまずき、パートでしか働けません。そのパートも長くは続かず、転職を繰り返しています。自分が好きではないので、他人からのちょっとした態度も、自分に対して敵意のあるものに見えてしまいます。

そのうえ、たとえ人から褒められても、自分で自分を認めていないので「嫌味を言われた」「お世辞だ」とゆがんだ認知をしてしまうのです。そのため、会社の人間関係も善意より悪意を拾い、悪く解釈することで会社に居づらくなってしまうのです。

後に分かったことですが、娘の紗江さんが病気を発症した原因は、秋穂さんにありました。彼女は自分の気持ちを隠しているつもりでしたが、幼少期から娘の紗江さんを抱きしめることもあまりなく、べたべたとされるのを嫌っていました。手をつないでくると、その手を思わず払いのけてしまっていたのです。そのたびに紗江さんは、傷ついていたのだそうです。

そして、秋穂さんの人の目を気にする影響も受けていました。

◆秋穂さんのその後

カウンセリングを始めた頃は、娘の紗江さんの嫌なところや、自分がなんて不幸なのかというお話ばかりしていましたが、子どもを愛せない理由を理解すると、自分自身と向き合うことが出来るようになりました。以前は忙しいとカウンセリングに来る頻度が空いていましたが、自分と向き合う決心をしてからは、時間を作り、定期的に通うようになりました。

秋穂さんは、幼少期に必要以上に大人に気を使い、不安を隠して明るい子どもを演じていた自分、頑張っていた幼少期の自分に気が付きました。

そして、今の自分は思っていた以上に恵まれていることや、自分自身が理想の親子関係に無意識にこだわっていたことが分かり、今の現状を少しずつ認められるようになりました。それから、少しずつですが自分自身の良いところも認められるようになっていきました。

秋穂さんは一年以上通っていましたが、その後紗江さんの病状も安定したことで定期的に通うことは無くなりました。

先日電話で、紗江さんの良いところを認められるようになってきたことや、紗江さんへの愛情を感じていることが分かり、関係がとても楽になったと話してくれました。そして、あれほどご主人の無口さに対して不満があった気持ちが、ご主人の懐の広さに気づいたりして、今では感謝の気持ちが湧いて、家族関係も改善されたそうです。

まだ、人間関係の苦手さは残っているそうですが、以前のように相手の気持ちを気にしすぎたり、悪く考えたりすることもなくなり、会社の人間関係も苦痛ではなくなったそうです。

【子どもを愛せない親の改善策】

・自分を見つめなおしましょう

まずは、自分自身を受け入れましょう。どんな感情を抱いていても、大切な自分自身です。まずは、幼少期のことを思い出してください。

必要以上に大人になってはいませんでしたか？

親の顔色を見て、一生懸命頑張っていませんでしたか？

大人になった今の自分なら、分かると思います。まだ子どもだった自分が、大人の顔色を見ながら健気に生きていた事を…

今、自分が辛いと思う感情は、幼少期にとても頑張っていた証です。そう思ったら、過去の自分は愛おしいと思いませんか？

・自分の感情を理解する

自分がなぜ子どもを愛せないのかを、素直に受け止めることが大切です。怒り、悲しみ、不安、恐怖など、様々な感情が出てくるかもしれません。自分の感情を受け入れることで、自分自身を客観的に見つめなおすことができます。

「自分の気持ちが分からない」という方もいると思います。そういう場合は、日々自分の気持ちにフォーカスする癖をつけてください。

今自分はどう感じているのかな？

「嬉しいのかな？」

「寂しいのかな？」

「楽しいのかな？」

「苦しいのかな？」

自分の気持ちにフォーカスしていくうちに、自分の感情がつかめるようになります。

・親自身の問題を解決する

子どもを愛せない親の多くは、自分自身が抱えている問題が原因で、子どもを愛せないということが多いのです。

例えば、過去のトラウマや精神疾患などの問題が、子どもを愛せないという感情につながっている可能性もあります。

自分の問題を解決することで、子どもを愛せるようになれる可能性があります。そのためにはカウンセリングやセラピーなどを受けることが有効です。

・子どもの良いところを見つける

子どもの良いところを見つけることで、子どもに対する愛情が芽生える可能性があります。子どもの笑顔、優しさ、頑張っている姿などに目を向けてみましょう。

・子どもに愛情を示すこと

子どもに愛情を示すことで子どもに対する愛情が深まります。子どもに優しく接し、肯定的な言葉をかけてあげましょう。ただし、無理に愛情を押し付けることは逆効果になる可能性があります。

子どものペースに合わせてゆっくりと愛情を育んでいきましょう。

・子どもを愛せない親がとるべき注意点

子どもに自分の感情をぶつけない

子どもに自分の感情をぶつけてしまうと、子どもに大きな傷を与える可能性があります。自分の感情をコントロールし、子どもを傷つけないようにしましょう。

子どもをコントロールしようとしない

子どもをコントロールしようとすると、子どもは親から離れていく可能性があります。子どもの意思を尊重し、子ども自身が成長できるようにサポートしましょう。

自分自身を大切にするには、自分の気持ちを否定しないことです。まずは、自分の気持ちを否定せずに聞いてくれる人に話してみます。自分の気持ちを受け入れてもらえる成功体験ができたら、どんどん人に、自分の気持ちを話せるようになっていきます。自分の気持ちを偽らず、正直になっていくと、自分自身を好きになります。これが自分の気持ちを大切にすることにつながります。自分の気持ちを大切にして、人の顔色を見なくてすむようになれば、自分自身を取り戻せます。

今、子どもを愛せなくて悩んでいる方は、自分を否定しないでください。この方法で自分を愛してみてください。そして、自分を責めないでください。

子どもを愛せない親は、自分自身と子どもの両方にとって苦しい状況です。しかし、自分自身と向き合うことで、少しずつ状況を改善していくことができます。自分自身と子どもを大切にしながら、前向きに取り組んでいきましょう。

4　親から差別されて育った女性

同じ家で育ちながら、たくさんの思い出を共有してきたはずの兄弟姉妹が、親からの扱いに差があると感じることで、兄弟姉妹にわだかまりが生じることがあります。

今回ご紹介するのは、姉と妹がそれぞれ異なる視点から、見た世界が違っていたというお話です。

◆親への恨み

絵美（仮名）さんは三十代のパート勤務の主婦です。夫と二歳になる息子の三人で暮らしています。

彼女は実家の近くに住み、毎週パートが休みの二日間は、子どもを保育園に預けるか、一緒に連れて実家へ行き、母親の介護を手伝っているそうです。彼女の母親は、五年前に事故で足が不自由になっていました。

彼女には誰にも言えない思いがありました。それは、親に対する恨みの気持ちでした。自分がこんな気持ちでいることなんて、もちろん、ママ友や周囲の人に言うことはできません。以前、ご主人に少し話をした時に「親なのだから、そんな風に言ったらかわいそうだよ」と言われてしまったこともあり、それからは自分の気持ちを分かってもらいたいという思いはあきらめてきたそうです。絵美さんは、せっかくのお休みの週二日も親の介護に行くようになってから、その思いも日に日に強くなっていったそうです。

◆姉妹間での差別

絵美さんには、三歳下の妹がいます。長女の絵美さんは、幼少期から特に母親に厳しくされて育ちました。自分が好きなことは何もやらせてもらえず、習い事も「これにしなさい」と母が決め、無理やり書道教室に通わされたりしていたそうです。テストも少しでも悪い点を取ると怒られていました。

ところが、絵美さんの妹は、自分のようにうるさく言われることはありませんでした。お姉ちゃんの自分は、良い成績は当たり前、褒められた経験もほとんどありませんが、妹は絵美さんより成績も良くなかったのに母親は何故か妹には厳しくせず、文句も言わなかったと言います。そして父親も母親ほどではありませんが、絵美さんには厳しく、妹には甘く接していたと言います。そのため、妹はいつも自由に好き勝手にしていたそうです。

それに姉妹でも性格は真逆で、妹は明るく友達も多かったそうです。友達の少ない絵美さんには、そのこともコンプレックスになっていました。妹は愛される存在、自分は可愛くないから、両親は妹ばかりかわいがって、何かにつけて「お姉ちゃんなのだから我慢しなさい」と厳しくされていると思っていました。

そのため、彼女は少しでも両親に認められたくて、一生懸命に勉強や生徒会の役員などもしてきたそうです。

◆絵美さんの葛藤

昨年、妹は好きな人ができたと勝手に結婚を決めて、実家とは遠い地方に移り住みました。そのことにも、もやもやした気持ちが残ると言います。結婚まで自由に決めた妹さんに腹が立ったからでした。もう六年も前になりますが、絵美さんには当時好きな人がいました。その相手に海外赴任が決まった事を機に、結婚したいと親に話をしました。ところが、両親に猛反対されて、結局絵美さんは彼をあきらめ、別れることになったそうです。

その後事故にあった母親の面倒を見るため、両親から実家近くで暮らすように言われました。そのせいもあり、今度は実家の近くに住んでくれそうな人を探し、今のご主人と結婚することにしたそうです。そして、子どもが生まれてからもパートで働きながら子育てをし、実家に週二回手伝いに通っています。

一方、子どもの頃から自由な妹は、大人になっても全然実家に手伝いに来ようともしません。それどころか、家族のことも考えず、自分は好きな人と勝手に結婚を決めて、遠くの場所に引っ越してしまったのです。

自分は小さい子どももいて、ただでさえパートと子育て、家事と、ものすごく忙しい日々を過ごしています。それなのに、パート休みの二日間も子どもを保育園に預けたり、連れて行っても相手さえできず、無理して時間を作って実家に手伝いに通っているのです。

絵美さんは、カウンセリングで「妹が結婚して遠くに越してから、腹立たしさが込み上げて、憎しみの感情が出てきました。そして最近では、今でも親の言うことを聞いている自分自身に、嫌悪感を感じるようになってきました。この感情が苦しくて、苦しくて…実家から帰った後、イライラしてしまうのです」と訴えました。

【姉妹間で差別されて育つ弊害】

親がひとりの子どもを特別扱いし、もうひとりの子をそうではないと扱うと、自分で自分を低く評価してしまいます。これは想像以上に深刻になります。

例えば

「親は自分を妹のように愛していない」

「自分は妹に比べて価値が無い」

という思考パターンを形成する可能性があります。

このように自己評価が低いと、学校や将来のキャリア、社交性など、生活のあらゆる面で影響を与えることになります。そして、親が子どもを差別的に扱うと、姉妹間に大きな影響を及ぼすことも少なくありません。

優遇されない子は、優遇される子どもに対して嫉妬や恨みを感じる場合があります。そして優遇された子も、自己憐憫や孤独感、罪悪感を感じることもあり、そのおかげで本来育つはずのきょうだい愛を薄れさせてしまいます。このことは、成長過程での社会的スキルの発達や、他者との健全な関係を築くことに影響を及ぼす場合もあるのです。


彼女はなぜ自己嫌悪を感じるようになったのでしょうか？

それは、自分の気持ちを無視して両親にとっての都合の良い娘を演じているからです。本当の自分の気持ちを無視して親に気に入られることを優先し、自分自身を大切にできていないからだと思います。

◆絵美さんのその後

カウンセリングが進むうちに、親に言われて嫌々していた行動も、実は自分自身が選んでやってきたことに気が付きました。絵美さんは親のために結婚をあきらめたと思っていましたが、本当にその人と結婚したければ、親の反対を押し切って結婚していたはずです。あきらめたのは、自分自身がその人と結婚して見知らぬ国で生活することに不安を抱いていたこともあったのだと気づきました。

そして、大きな変化が妹さんとの間にありました。実は先日、妹さんと初めてお互いの気持ちを伝えあったそうです。

絵美さんは、自分ばかりが厳しく育てられたと思っていましたが、妹さんから見えていた世界は全然違っていたのです。

妹さんから見えていたものは、「姉ばかり両親が期待していた姿」でした。ご両親は、絵美さんばかり見ていて、自分には無関心、表面上は可愛がってくれていたと分かっていますが、心の中では、何をしても気にされていない寂しさをいつも抱えていたそうです。

そして、自由にさせていたというのは、妹さんから見ると「自分に関心が無い」「期待されていない」

という気持ちを抱かせてしまいました。実は、妹さんも親から差別を受けていたと思っていたそうです。「姉さんばかり期待されて、自分はどうでもいい子なんだ」と、勉強なども期待されていないから頑張る気になれなかったということでした。

妹さんと話した後、絵美さんの心に変化がありました。妹さんに対する嫌な気持ちは消えてしまったそうです。最近では、一緒にいた時よりも二人の距離が近づいたと言っています。お互い素直に気持ちを話せるようになり、頻繁に電話で話すようになったそうです。

それから、自分の生活を犠牲にして母親の介護に行くこともやめました。自分の気持ちを偽ることは、自分自身を裏切ることになり、自分を嫌いになる場合もあります。

絵美さんは子どもがまだ小さく、保育園に預けるか手伝いに連れて行かなくてはいけないため、実家に行く日は、子どもを朝から怒ってばかりいました。

ご両親に、家に帰ってからの家事の時間も少ないため、いつも怒ることが多くなっていることなどを正直に話しました。母親は嫌がったのですが、ヘルパーさんを頼んで、手伝いを週一にしてもらったそうです。「今のまま自分が我慢をして手伝いをしている姿を自分の子どもに見せていれば、子どもは自分と同じように親の顔色を見る子になってしまうかもしれない、正直に生きよう」と決心しました。

絵美さんは、手伝いが一日になったことで、子どもと居られる時間も増え、子育てを少し楽しむ余裕も生まれたそうです。親への憎しみも少し和らいだと言っていました。

親孝行は美徳ですが、無理をして自分を犠牲にしていると、心の底で恨む気持ちが出てしまいます。「良い加減」で、程よい距離感も必要なのかもしれません。

【カインズコンプレックス】

カインズコンプレックスとは、兄弟や姉妹の間で抱く競争心や嫉妬のことを指します。旧約聖書の「創世記」で農夫の兄カインが羊飼いの弟アベルを殺害したというエピソードに由来する言葉です。

カインズコンプレックスの原因としては次のようなものが挙げられます。

・親の愛情や関心の偏り
・兄弟姉妹の年齢差や容姿能力の差
・兄弟姉妹の性格の不一致

カインズコンプレックスを抱えている人の示しやすい行動や言動

・無視したり、嫌ったり、攻撃する
・競争心が強くなり、勝ち負けにこだわる
・相手の成功が妬ましく、妨害しようとする

改善策

カインズコンプレックスはそのまま放置しておくと、兄弟姉妹関係が悪化したり、本人の心身に悪影響を及ぼしたりする可能性があります。カインズコンプレックスを抱える人は、その原因を理解し、適切な対処法を見つけることが大切です。

具体的な対処法としては以下のようなものが挙げられます

・親が兄弟姉妹を公平に扱う
・兄弟姉妹がそれぞれの個性や能力を認め合えるようにする
・兄弟姉妹がそれぞれの目標や夢を持って自立できるようにする

今回の場合は、親から見たらたぶんお姉さんの方が親の言うことを素直に聞く子どもだったのだと考えられます。

強く言えばちゃんとやる子。不満を言わないのでそれで良いと思っていたのでしょう。そして上の子は初めての子どもの為、特に力が入っていろいろ口うるさくなってしまったのだと思います。

妹さんはふたり目という事もあり、そして自己主張もあったため口うるさく言わなかったのかもしれません。

親として考えて欲しいこと

親も人間、特に初めての子には力が入ってしまいます。

でも、本来の性格も多少はありますが、厳しくしすぎてダメ出しが多いと、自由に発言できなくなり、人の顔色をうかがう自信のない性格になることがあります。それから。言葉にしなければ伝わらない思いもあります。高いお金を払うことも、かわいいお洋服、おもちゃを買う行為も、愛情があるからこそしている行為ですが、それをされているから「愛されている」と子どもは実感できません。

いろいろな場面で一人一人が大切な存在であることを実感できる声掛けを心がけていると、このような誤解が生じ、生きづらさを感じることも少なくなると思います。

親子の呪縛から抜ける方法

・自分自身を大切にする

・サポートを求める

友人や信頼できる人、カウンセラー、グループセラピーなどで自分の経験などを話し、共感してもらうことで、自分の感情を理解できるようになります。（専門家などに助けを求めることは、自己認知を深めることになり、問題を克服することに役立ちます）

・自分の価値や長所を認知することで自己肯定感を育む

・親を許すことは過去から解放され、前向きに生きるための重要なステップです。親を正当化するのではなく、その人自身の心の安定につながります。

5 家族から虐待されている女の子

「家族」とは、当たり前のようにあるものだと思っている方もたくさんいると思います。お互いを助け合ったり、支えあったり、時にはぶつかり合い、それでも基本は愛情に満ちている…私自身がそう信じていました。

でも、カウンセラーの勉強をしていた時に、ある方から「あなたは早くにご両親を亡くしているから、家族に対して仲良し神話みたいな理想があるのよ。本来そんなに良いことばかりではないから」と言われたことがあります。確かに、カウンセリングで伺う話は、私が思う家族像とは程遠い話が多いのです。

今回は、家族から虐待をされている女の子のお話をしたいと思います。

◆偽りの生活

五年前の冬、カウンセリングルームを訪れた希美（仮名）さんは、「バイト先でみんなの空気を悪くするのが嫌で、疲れてしまってバイトに行くのも苦痛なのです」と訴えました。人間関係が苦手なのかと思いましたが、聴いていると職場の人間関係はとても良好というのです。みんな仲良しで、プライベートも出かけたりするそうです。でも、そのため場の雰囲気を壊すのが怖く、嫌なことも断れず、笑顔で受け入れてしまうのだそうです。

希美さんは、コミュニケーション能力は高いようなのですが、自分の気持ちをはっきり伝えられない問題がありました。

希美さんの悩みは、バイト仲間の男性が希美さんに好意を持っていることです。希美さんは、一度は断ったのですが、「それでもあきらめきれない」と男性が言ったため、周りの人たちがそれに協力して、事あるごとに希美さんとその男性を二人にしようとしてくるのだそうです。希美さんは、そのことが嫌でたまらないと言います。でも、自分の気持ちをみんなに伝えると、みんなが変な気を使ってしまうのではと思い、なかなかはっきり意思表示ができません。仲良しグループの中にその男性もいるため、自分が嫌がって、彼だけ声をかけないようにされるのも嫌だし、場の空気を乱してしまうのではないかと心配していました。自分のせいでギクシャクして、みんなに気を使わせることが、希美さんにとって何より嫌なことだと言うのです。今ではバイトに行くのも気が重く、思い切って他のバイトに変わろうか迷っているようです。

「場の空気を壊すのが嫌」

「自分の気持ちを押し殺してでもみんな仲良しでいて欲しい」

という彼女の気持ちは、カウンセリングをしていくと、その本質が見えてきました。

◆希美さんの家庭環境

希美さんは幼稚園の時に母親を亡くしました。それ以来四歳下の弟と父親の三人暮らしでした。母親が欲しいと思う事はありましたが、父親も出来るだけ自分たちに時間を使ってくれ、何とか三人で楽しく生活をしていたと言います。ところが、希美さんが十七歳になった頃に父親が再婚相手を連れてきました。希美さんと弟は少し戸惑いましたが、それまで苦労していた父親の幸せを思い、再婚に反対することは出来なかったそうです。再婚相手にも弟と同じ年の女の子がいて、五人家族になりました。

再婚相手の女性に初めて会った時から、希美さんは嫌な予感がしたそうです。初めて出会った時にその女性は希美さんをにらんでいたというのです。希美さんは不安に思いましたが、すぐに「お父さんの選んだ女性、きっと優しい人のはず、気のせいだ」と不安を打ち消しました。新しいお母さんと妹と、家族五人で仲良くしていきたいと思っていたそうです。

ところが、同居してからすぐに義母のいじめが始まりました。最初に謎のルールが家庭の中に作られました。

それは、子ども同士監視し合うことです。誰かが家庭の中で良くないことをしていたら、義母に伝えるというルールです。密告された子どもは義母からひどく怒られ、体罰があります。その良くないこと、というのは、ほんの些細なことまでもです。気付くと実の弟さえも、義母に気に入られたくて、希美さんが学校帰りにもらったお菓子を食べていたことも密告するようになりました。そのせいで希美さんは義母からひどく叩かれました。希美さんは、誰のことも密告しないこともあり、義母からますます嫌われるようになりました。いつの間にか、父親以外、実の弟まで希美さんを無視するようになって、家庭で仲間外れにされるようになりました。家にいても、まるでいない人のように扱われていたそうです。

彼女は父親にその状況を話しました。父親はすぐにみんなに注意してくれましたが、義母は無視、義妹と弟はほんの少しの間は無視をやめてくれるのですが、すぐにまた義母に気を使ってか、同じ状況になってしまいます。注意をしても何度も繰り返されるその状況に、父親もとうとう離婚を決心しました。「これでまた、前のような暮らしが戻る」と、希美さんは安堵したそうです。

ところが、離婚の話が進む中、そのタイミングで義母が妊娠したことが分かりました。希美さんのお父さんも、それで離婚を思いとどまり、やり直すことになったのです。

その後は、あからさまな無視は無くなりました。新たな妹ができた事で、家族での会話も増えたそうです。でも、希美さんの会話ができる内容は、妹と他の家族の話しのみです。自分の話は誰からも返事が返ってこないのです。希美さんの大学の話やバイトの話などをすれば、誰も返事はせず、聞こえないふりをされてしまいます。

◆本当の悩み

希美さんの本当の悩みは、自分の居場所がないことです。相談したくても父親は夜遅くまで帰って来ません。子どもが生まれた事で、父親は仕事の時間を夜遅くまで増やしていました。父親に話をする時間もなく、たとえ今の現状を訴えたとしても、以前と違ってみんなと会話があるため「気のせいでしょう」と、とぼけられるかもしれないと心配しています。自分以外の家族にそれを言われてしまえば、希美さんの話は嘘に聞こえてしまいます。今では、実の弟に話しかけても「うざい」と言って相手にしてくれません。そして、一番辛いのは、希美さんの部屋がないことです。希美さんはいつも家の中でリビングにいるしかないのです。自分が家族に入るために、会話ができる話題のみにして、当たり障りのない会話で自分の心を殺しています。

今、彼女はバイトをしてお金をためているそうです。高校の時はバイトで少しでも遅くなると義母がバイト先に怒鳴り込んで無理やりバイトをやめさせたそうですが、大学に入った今では、門限もうるさく言われなくなり、以前よりバイトも増やすことができていると言います。そして希美さんは、家にいる時間が辛いために、なるべく遅くに帰るのです。バイトが無い時でも街をさまよっています。

どうしても疲れた時には、カラオケボックスやネットカフェで休むそうですが、そのお金も何回も行けば馬鹿にならない金額になると言い、ほとんどあてもなく街をふらふらと歩いているのだと言います。

希美さんは、友達に頼ったり、相談することも絶対にできないと言っています。そんな状態でいることが恥ずかしいと思っているのです。

【家族間で仲間外れにされる弊害】

家族間で仲間外れにされて育つことは、様々な弊害をもたらす可能性があります。

・**心理的影響**…仲間外れにされるということは、自尊心や自己の価値観にも大きな影響を与える可能性があります。

子どもは親からの愛情を必要としています。仲間外れにされると、自分に自信がなくなり、自分を大切に思いづらくなってしまいます。その後の人間関係や自己評価に大きな影響を与えることがあります。心理的健康問題、孤独感やうつ病、不安症状などに苦しむ場合があります。

・**社会的影響**…仲間外れにされた子どもは、友達との関係を築くことが難しくなります。社会的スキルや対人関係の発達に影響を与える可能性があるのです。

・**学業への影響**…仲間外れにされた子どもは、学業へのモチベーションや集中力に悪影響を与えることがあります。

・**行動問題**…仲間外れにされた子どもは、反抗的な行動や問題行動をとることがあります。孤独感やストレスが問題行動の原因になるのです。

・**長期的な影響**…仲間外れにされる経験は、大人になっても影響を及ぼすことがあります。自己認識や対人関係、心理的健康に対する影響が持続して、長期的な影響を及ぼすのです。

仲間外れの対処法

子どもが家族から仲間外れにされることは、とても深刻な問題です。子どもの感情的な安定と社会的発達をサポートすることが大切です。あってはならないことですが、親や家族が子どもを愛し、サポートできなければ、学校や専門家の協力を得て、子どもに適切なサポートをすることが必要です。

・**信頼できる大人に話す**

学校の先生やカウンセラー、親戚、または家族の友人など、信頼できる大人に相談しましょう。

・**子ども相談や児童相談センターに連絡**

・**友人や同級生に支援を求める**

信頼できる友人や同級生に状況を話し、サポートを得ることもひとつの方法です。

＊ひとりで悩んでいても解決することは難しいので、周囲のサポートを受けることが重要です。

◆希美さんのその後

希美さんは本来ならば、誰かに助けを求めて家を出ることが望ましいのですが、他人に自分の状況を話すことを極端に嫌がっていました。それでも私が、大学のスクールカウンセラーに相談することを勧めると、素直にそれに従いました。スクールカウンセラーに心のサポートをしてもらい、今はお金をためて家を出る準備をしているそうです。

家を出るまでは、自分自身の心を守ることが必要です。

「自分が悪くてこの状況になったのではない」ということをしっかりと意識しましょう。そして、嫌な人との心の距離をとることが大切です。

それには、自分以外の人に「なんで？」「どうして？」と考えるのをやめることです。意地悪をされても、

「なんでこんなことをするの？」

「どうしてこんなことを言うの？」

と、考えると心が疲れてしまいます。

なんで？ どうして？ はありません。

「その人はそういう人だ」と、自分と違う人間として心の中で線引きをしてください。つまり、その人と心の距離を保つことが重要なのです。

希美さんは大学を出てひとり暮らしを決心しました。その際、誰にも自分の居場所を知らせないつもりでいます。

彼女は、お父さんのことを気遣っていましたが、心の底では自分がこんな状況になっているのに何もしない父親に対して、どこかで不信感を抱いているのだと思います。

今では、父親と疎遠になっている祖父母と連絡を取っているのだそうです。

彼女の家庭環境では仕方のないことでしたが、あまりにも周囲の顔を気にしすぎて、一生懸命自分の居場所を無意識に作ろうと自分の気持ちを押し殺す癖ができていました。今はその癖を少しずつ変えて、人を頼ること、素直に気持ちを話すことが課題です。

バイト先でも、お金を使うのが嫌なので、「誘われて行きたくなければ行かない」と言うように心がけているそうです。

「話をする」ということは、心の中の気持ちを「離す」（解き放つ）意味もあります。それに、友達に自分の気持ちを伝えることができれば、嫌われるのではなく、以前より仲良くなれると思います。希美さんは、少しずつそれを実行して、気持ちを話すことの成功体験を積み上げています。

希美さん自身の優しさを失わず、自分の良さを認識すると、今より自己肯定感が持てるようになります。

これからは、自分の居場所を見つけて、自分らしい希美さんで生きる事を心から祈っています。

6　母親から愛されたい子どもたち

カウンセリングをしていると、子どもに対して無関心な親や身勝手な行動をとる親の話を耳にすることがあります。そのような親に対して距離を置く人もいれば、どうしても離れられない人もいます。

後者の人々は、大人になってもまるで幼いころに得られなかった愛情を、わずかでも求めているかのように、親から愛情を得ようと努力し、親に尽くし続けてしまいます。

みんな素直で優しい方々なのに…そんなお話を聴くたび胸が痛みます。

◆人の目が気になる理由

誠也（仮名）さんは、二十歳の契約社員の男性です。彼は物事を何でも悪く考えてしまう自分を変えたいとご相談に来られました。誠也さんは、いつもマイナスに物事を受け取ってしまい、何をするにも自信がなく、絶えず人の目が気になり不安にかられます。そのため、職場の人間関係もうまくいかずに仕事を転々としていました。

人の目が気になりだしたきっかけは、小学校の頃になります。お風呂に入っていないことで、クラスの子ども達から「臭い、バイ菌」といじめられました。当時誠也さんは、みんなのようにお風呂に毎日入るという習慣がなく、週に一～二回、妹と二人で入っていたそうです。誠也さん兄妹には、母親がお風呂に入れてくれた記憶はほとんどありません。箸の持ち方や靴をそろえる、使ったものを片すなどの習慣も母親から教えられたことも無かったようです。次第に誠也さんは、自分達が他の子が当たり前に知っていることを知らないということに気が付きました。それ以来、おかしなことがないか、みんなの顔色をうかがうようになったのだそうです。

職場でも絶えず「人から悪く見られているのではないか」「自分は迷惑をかけているのではないか」

その気持ちが頭から離れません。職場で人が小さな声で話をしていると、自分の悪口を言われているような気がして、いたたまれなくなってしまいます。そして仕事でミスをして叱られると、そのうち嫌われると思ってしまい、仕事を続けるのがだんだん辛くなって辞めてしまうことが繰り返されていました。

誠也さんの問題は、不安感が強く自己肯定感が低いことです。自分に自信がないため、人の目が気になってしまい、人から嫌われることを何よりも恐れています。

誠也さんの中には、いつも不安感があり、同じ出来事があっても他の人よりマイナスの方向にずっと重く受け止めてしまいます。その思い込みによって周囲の人への態度も消極的になって、その態度により誤解を招いてしまい、周囲と壁ができて居づらくなるという、負のスパイラルに陥っていました。

誠也さんは、母親と十八歳の妹と三人暮らしです。

「母親にも愛されていて、今は何の問題もない」と言っていましたが、母親は誠也さんの言うことを

あまり聞いてくれず、

「こうした方がいいに決まっている」

「なぜそんなこともできないの？」

と、いつも誠也さんの行動に対して否定的に指示をするのです。

私が「否定されるのは傷つくと言ってもいいのでは？」と言うと、

「そんなことを言ったら母がかわいそう」と言います。

誠也さんは母親にとても気を使っていて、親子問題が健全でないように思えました。問題の本質は、仕事が長続きしないことより、親子関係の問題、このことがあらゆる面で影響を与えています。

◆つらい家庭環境

カウンセリングが進むうちに、その誠也さんの辛い家庭環境の背景が明らかになりました。彼の母親は、昔から双極性障害を抱え、感情の不安定さが常にありました。誠也さん達の本当の父親は、誠也さんが三歳の頃に、アルコール依存症で家庭内暴力を繰り返していました。母親や子ども達はいつも殴られていたそうです。その後、その父親とは離婚をして、母親は他の男性と再婚したそうです。

誠也さんによると、その時の二番目の再婚相手の男性は穏やかな父で、誠也さんはその後の母親の再婚相手をみんな父と呼んでいましたが、その二番目の父親は彼の人生においてただ一人の『普通の父親』だったそうです。その父親とは今でも別れて欲しくなかったと言っています。でも、子どもたちにとって優しかったお父さんとの生活はそんなに長くは続きませんでした。母親はその男性ともすぐに別れて、離婚して間もなくまたすぐに三度目の結婚をしたそうです。

三番目の父親は言葉の暴力と肉体の虐待を繰り返したと言います。その父親は誠也さんに気に入らないことがあると、首を絞めるなどの虐待をし、母親もその再婚相手に嫌われないように、かばうどころかその男性と同じことを誠也さんと妹にしていたと言います。三番目の父親と結婚してからは、地獄のような日々だったと話していました。それから八年経った一年前、母親が、三番目の父親と離婚をしました。

心の底から安堵した誠也さんと妹でしたが、離婚直後は、誠也さんも母親への恨みの気持ちが出て、その感情をぶつけていたそうです。しかし、妹がグレたこともあり、母親がかわいそうになってその気持ちはどこかに消えてしまったと言います。

離婚をきっかけに、その母親にも変化が見られ、妹もその影響で少し落ち着いてきたそうです。

今は家族の仲は良くなっていると言います。

結婚については母親も、

「もう結婚はこりごり、子どもと三人で穏やかに暮らす方がいい」

と言ってくれたそうです。躁うつの酷い状態から離婚して一年後、母親の精神状態も安定して、母親と三人暮らしの今が、一番幸せだと言っています。誠也さんは「母も自分たちに愛情を注いでくれる。申し分のない、良いお母さんになってくれ、今は愛されていて家庭に不満は何もない」と言うのです。


この話を聞いて違和感を覚えた方もいるのではないでしょうか？

◆誠也さんの問題

・母親に気を使いすぎて、本音を口に出すことができない
・マイナス思考

・自信がなくて不安感を抱え、絶えず人の目が気になる
・いつも人から悪く思われていると感じてしまう、人が話をしていると悪口を言われているような気がしてしまう。

さらにカウンセリングを進めると、母親が彼の言うことを全部否定して、そのうえ、自分の言うことが全て正しいと言い、誠也さんを自分の思い通りにしている姿が浮かびます。

誠也さんが会社での悩みを母親に相談しても「あなたが悪い。なぜ人と同じようにできないの？」と言われてしまいます。

誠也さんは、ただ話を聞いて欲しいだけなのに、誠也さんの母親はいつも誠也さんを否定する言葉で傷つけてしまいます。

その行為は、「人より誠也さんが劣っている」というようなイメージを誠也さんに植え付けています。

そして、一番の問題は、誠也さんは自分の気持ちを母親に話せないということです。母親が誠也さんに話す言葉は、誠也さんの自信を無くさせる言葉なのです。

今の誠也さんの心の中にあるものは、親子水入らずの家庭です。母親の気持ちが子どもに向いている今の状態、母親が安定している今の状態が兄妹にとって一番良い状態だと言うことです。虐待もさ

れず、血のつながりのない父親に気を使わずにいる、この状態こそ、誠也さんと妹が長年待ち望んでいた家庭なのです。今現在は、自分たちを見てくれている母親がいること。この状態が兄妹にとって愛されている気持ちにさせてくれているようなのです。彼らは、この状態をそのまま維持したいという強い思いがあるのです。

そして「結婚なんてこりごり」と言って、やっと自分たちに気持ちを向けてくれるようになった母親を信じたいと思っているのだと思います。

誠也さんは、今のままの状態を守りたいと思っています。兄妹揃って大人になった今も、母親の顔色をうかがい、愛されたいと思い、兄妹二人とも母親から離れられない状況です。

◆誠也さんのその後

誠也さんは、しばらくカウンセリングに来ることはありませんでしたが、二ヶ月前からまたカウンセリングに通うようになりました。自分を変える覚悟ができたので、またしばらく通いたいと言ってくださいました。

自分の不安感が、小学校時代のいじめと、家庭の安定が無かったところから来ていたと分かり、自分自身が幼少期から、すごく頑張っていたことを認識できた誠也さんは、自分自身を客観視できるようになりました。まだまだ母親からの依存は抜けられませんが、人間関係が少しだけ良好になってきたと言います。

今はまだ母親からの愛情を欲していますが、もう少し視野が広がると、次のステップ、自立の方向に向かうと思います。

カウンセリングが進んでいくと、今まで見ないようにしていた感情が出てくることがあります。親から得られなかった愛情に対しての行き場のない思いに苦しむかもしれませんが、逃げずに自分と向き合っていけば、今よりずっと生きやすくなると思います。

【母親に愛されなかったと感じる弊害】

・健全な親子関係が築けなかったことから来る、不安定な愛着（家族の情緒的な絆、愛着形成）により人間関係を築くのが難しくなる可能性があります。

・母親の愛情を受けていないと感じることは、自己評価や自分自身を信じる気持ちの欠如につながります。
・感情や不安を解消したくて、問題行動をしてしまうことがあります。
・他人を信じることが難しくなります。
・うつ病や不安症などの情緒障害のリスクが高まる可能性があります。
・自分の感情を理解したり、表現したり、コントロールするのが難しくなります。

母親に愛されなかった人（不健全な愛着形成）の立ち直り方

・セラピストやカウンセラーと話す。

話すことで自分の経験や感情を理解し、過去のトラウマを乗り越えるための方法を見つける。

・サポートグループに参加

似たような経験を持つ人たちとコミュニケーションをとることで共感や励ましをして、自分だけではない、同じような問題を持っている人たちがいることを理解する。

・セルフケアをする。

自分の感情などを大切にし、リラックスする時間を確保する。軽い運動をしたり、瞑想をしたり、好きなことをして自分自身をケアしましょう。または日記を書くなども自分の気持ちを整理できたりするのでお勧めです。心と体を大切にすることはとても重要です。

・自分自身を受け入れる。

自分自身を受け入れて自分の価値を理解することはとても重要です。過去の経験から自分の価値はないと思い込んでいたことを認識するのが大切です。

・自分の状況や感情に関する知識を入れる。

・過去を手放す

簡単なことではありませんが、過去の出来事を手放すことが心の解放につながります。

そして今と未来に焦点を当てることが建設的な思考になります。

親に愛されなかった経験は深い痛みを伴いますが、自分を癒す方法やサポートを求めることで、より良い未来を築くことができます。

彼女の母親はまだ四十代前半、依存体質の方のようなので、心配なのはまた再婚して子どもたちを傷つけないかということです。再婚がだめだというのではなく、子どもたちがまた、母親から見捨てられたと思い、無力感を覚えることが問題になります。

「お母さんはこういう人だ」と理解して、母親への依存はやめ、自立していくことが望ましいと思います。

7 DV夫からの別離

今まで経験したことのない、コロナ禍の影響でDVが増えたと言われています。原因は、いろいろありますが、失業者の増加やリモートワークなどで、家庭内の緊張やストレスを生んだため、そして人との交流の機会が減少したため、ストレスがたまったと考えられています。それに、先の見えない不安もあったのではないでしょうか?

今回のお話は、コロナ禍の影響とは関係ありませんが、気付かないうちにDVをされていた、共依存のご夫婦のお話をしたいと思います。

◆気付かなかったDV

カウンセリングに訪れた美代子（仮名）さんは、五十一歳の会社員です。美代子さんは、「夫との関係はとても良いのですが、友達付き合いがほとんどなくなってしまい、これでいいのか不安に思うようになってきました。これから先、もし主人に先立たれたら、自分ひとりでどうやって生きて行ったらよいのか不安で仕方ないのです」と言っていました。

美代子さんの実家のご両親はすでに亡くなっていて、結婚後はあまり会わなくなった弟がひとりいると言っていました。美代子さんには子どもがいませんでしたが、夫婦仲はとても良く、休日には一緒に趣味のゴルフや旅行など、充実した生活を送っているそうです。ただ、夫婦仲が良すぎて、会社の人に誘われても、ご主人が美代子さんと出かけようと言えばその約束を断り、いつもご主人優先の生活を送っているため、そのせいで、最近ではほとんど誘われることも無くなりました。美代子さんの結婚前からの友人とも、ほとんど会う機会が無くなったと言います。

結婚以前の美代子さんは社交的で友人も多かったそうです。「たまにはお友達との時間をとっても良いのではないですか？」と、私が言うと、充実した生活の中の問題点が見えてきました。

美代子さんがご主人優先にしてきた原因は、ご主人の誘いを断ったり、美代子さんがご主人を置いて出かけようとすると、ご主人の機嫌が悪くなるからでした。美代子さんが言うには、ご主人はとってても優しい反面、家庭をものすごく大事にしていて、家庭を後回しにしたりすると、美代子さんをものすごく怒り、場合によっては手を上げることもあるのだそうです。それでも美代子さんは、ご主人が怒るのは自分が悪いからだと思っていました。

◆明るみになった問題

最初のカウンセリングからほどなくして、事件が起こりました。

それはご夫婦で飲みに行った帰りのことです。美代子さんはいつになく飲みすぎてしまい、お店を出る際にふらついていました。その姿を見てご主人は、店を出た後、急に「こんなみっともない姿になるまで飲むなんて、なんて馬鹿なんだ」と大声で怒鳴り、美代子さんを怒りに任せて、突き飛ばしてしまったそうです。ちょうど突き飛ばされた所に縁石があり、足元を取られ、美代子さんは転倒してしまいました。その際、美代子さんは頭をぶつけ、腕を骨折してしまったそうです。

そばを通りかかった人が、一一〇番通報をして警察が駆け付け、ご主人は連れて行かれました。美代子さんはそのまま入院することになったそうです。そして美代子さんの弟さんに知らせが入り、入院した美代子さんを見て、「こんな旦那のもとに姉さんを返せない」と言って、退院後には弟さんが住む家に無理やり美代子さんは連れて行かれたそうです。

美代子さんは何度も弟さんに「飲みすぎた自分が悪いの、主人はいつも優しい人だから、誤解しないで」と言っていたそうです。

ところが、弟さんの家族と住んで、美代子さんは初めて自分の生活がおかしかったことを知ることができました。

それは日常的な、たわいもない些細なシーンを見た時でした。彼女の弟の家は子どもが二人いて、四人暮らしでした。食事の際、弟の奥さんが食べ物をこぼした時、周りの家族の反応が「ほら、こぼれてるよ」と笑ったことでした。

「なぜ、ミスをしたのに笑っているの？夫ならものすごい勢いで怒鳴るか、叩くかするのに…」

彼女は結婚以来二十年以上、ほとんどの時間を夫と過ごしてきました。ことあるごとに些細なことでもミスをすれば怒られていました。

美代子さんは、

「ミスは許されない」

「ミスを犯した自分が悪いせいで夫は怒っている」

「怒られても仕方がない」…と思い込んでいました。

これは、ＤＶやモラハラ夫と暮らす女性に多い傾向です。パートナーが相手に徹底的にダメ出しをし続けると、次第に「自分はダメな人間だ」と刷り込まれて、自分のことをそう思うようになってしまいます。

そして、暴力を振るわれた時も、そのあとに優しくされたりすると、「暴力を振るわれたのは、自分が悪かったからだ」と思い込んでしまうことがあるのです。

そのうち、いつも相手の顔色や不機嫌にならないように行動するようになり、他の人との関係が薄れていると、自分の家庭の異常さに気が付かなくなってしまいます。

通常怖い存在でも、優しい部分が見えると、その優しさは際立つこともあります。逆に、いつも優しい人がたまに怒ると、とても怖く感じる場合もあります。つまり、「当たり前は目立たない」のです。いつも怖い人の優しい部分がたまに見えると、その優しさは際立ち、すごく優しく思えてしまう場合があります。そのため、暴力を振るわれた時、たまに見せる優しさがその人の本質だと思い込んでしまい、その暴力は異常だと思わなくなることもあるのです。

そして自分に自信がなくなっているため、相手に依存しやすくなってしまいます。

◆美代子さんのその後

しばらくぶりにカウンセリングに訪れた美代子さんは、先ほどの事件の詳細をお話ししてくれました。美代子さんは、まだ、そのまま弟さんの家にいるそうです。そして、離婚後新しく住む家を弟さんの家の近くで探すことにしたそうです。弟さんの優しく思いやりのある家族を目の当たりに見て、気を使わない、傷つけない家庭もあることを思い出しました。

仲良し夫婦と思いこんでいた自分たちの異常さに気づいて、美代子さんは離婚する決心ができましたが、その気持ちはもう、揺るがないと言います。

「この年になって離婚するなんて考えてもみませんでした。私たち夫婦は、いつもどこへ行くのも一緒で、趣味も一緒でした。あんなに仲が良いと思っていた主人と別れるなんて思ってもみなかったのですが、離れてみて、今すごく楽に息をしている自分に気が付いたのです。結婚前の自分をよく思い出して、以前のように友達と行きたいところへ行って、いっぱい笑いたいです」と話してくれました。

美代子さんは今、カウンセリングを受けながら、本来の自分らしさを取り戻そうとしています。

カウンセリングを続けるのは、長年ご主人と居たことによる思考癖が戻らないようにするためです。何をするにも自分が悪いと思い込んでいた、自信のない自分を客観視することで、自己肯定感を取り戻そうとしています。美代子さんは、ご主人に出会う前の社交的な美代子さんにだんだんと近づいています。

「今は主人と別れる寂しさではなく、これからの自分の人生を思ってワクワクしています」とお話ししてくれました。

これからの自分の選んだ人生を楽しんで欲しいと願っています。

【DV被害者の特徴】

DVを受けた人は、様々な心理的な影響を受けることがあります。

行動的特徴

・加害者の顔色をうかがって、常に気を使うようになります。

・DV被害者は、しばしば家族や友人との関係を断たれ、社会的に孤立することがあります。外出や友人との交流を控えるようになり、これは心理的な健康に悪影響を及ぼす可能性があります。

・自己肯定感が低くなって、相手が正しいと思い込んだり、恐怖心から加害者の命令に逆らえない可能性があります。

・加害者に支配されているためお金を自由に使えなくなります。

人間関係の特徴

・加害者中心の生活になるため、家族や友人との関係が希薄になってくる場合があります。

・孤立している

・DVを受けていることを恥ずかしいと思ったり、DVを受けている自分が悪いと思い、DVの被害を周囲に相談できないことがあります。

精神的な特徴

・恐怖感、孤独感、罪悪感、無力感などの感情を感じてしまうことがあります。
・自己肯定感が低く、自分には価値がないと思ってしまいます。
・不安、うつ、ＰＴＳＤ、自殺念慮などの精神疾患を患う場合があります。

ＤＶをする加害者は、愛情を装ったり謝ったり約束したりして、被害者を混乱させる傾向があります。被害者は加害者の優しい言葉に惑わされてＤＶの状況を認識しにくいことがあります。ＤＶ被害者は、暴力的な環境に適応し、状況を正当化することがあります。それは加害者が、時折優しさを見せたり、関係に良い部分があると感じてそれを信じたいと思ってしまうからです。

ＤＶ被害者に対してできる支援

最も必要なのは、被害者が安全な場所を確保することです。必要であれば、シェルターや安心できる家族や友人の家への移動を支援しましょう。

被害者が自分の状況を話せるように、信頼できる相談者やカウンセリングサービスが受けられるように紹介してください。心理的なサポートはとても重要です。場合によっては、警察への通報や、保護命令の取得など、法的手段を利用することも一つの選択です。法的なアドバイスを得るために、法律相談や専門家の紹介が有効です。DVに関する情報。被害者の権利利用可能なリソースについての情報を提供することも良いでしょう。

知識が被害者を力づける事があります。金銭的な困難がある場合は、経済的支援や仕事の紹介などが役立つこともあります。

DVの影響は長期に渡ることが多いので、長期的なサポートが必要です。カウンセリングサポートグループへの参加、生活スキルの向上などが含まれます。DV被害者が将来健全な人間関係を築けるように、非暴力的なコミュニケーションや**＊境界設定**について学ぶ機会を提供することも有効です。

＊境界設定とは

「境界設定」とは、自分の快適さや安全を保つために他人との間に設定する心理的な限界やルールのことです。これは自己尊重と自己保護のために非常に重要です。境界設定には、以下のような様々な種類があります。

1. 感情的境界

自分の感情と他人の感情を区別する能力。自分の感情が他人の影響を受けすぎないようにすること。

2. 時間的境界

自分の時間の使い方をコントロールし、必要な場合には「いいえ」と言うこと。仕事とプライベートのバランスを保つことも含まれます。

3. 物理的境界

身体的な空間やプライバシーに関する限界。他人が自分の身体や個人的な空間に触れることに対する快適さのレベルを設定します。

4. 精神的境界

自分の考えや信念、価値観を尊重し、他人に影響されすぎないようにすること。

5. 財務的境界

お金の使い方や財務的な責任に関するルールや限界。

これらの境界は、健康的な人間関係を築くためにとても大切です。自分の境界を設定し、尊重することは、自己尊重と相手への尊重を示すことにつながります。また、ストレスや疲労を軽減し、より充実した生活を送るためにも重要です。

被害者をサポートする際は、彼らの意思を尊重し、彼らが自分自身の決断を下せるように支援することが重要です。ＤＶ被害者は感情的な混乱やトラウマを経験している可能性があるため、対応は慎重に行う必要があります。

第三章

障害を抱えて生きる人たち

近年発達障害について、昔より認知されてきたこともあり、そのお話をよく聞くようになりました。幼少期からその対策に取り組んでいる方も多いようです。

ひとくくりに発達障害と言っても、特性はさまざまで、苦労もそれぞれ違いますが、特性を理解し、良い部分を伸ばすことで大人になった時の生きやすさが変わると思います。

今回は発達障害とＬＧＢＴの生きづらさを抱えた人達のお話です。

1　立派な親を持った発達障害の女性の苦悩

立派すぎる親を持つと苦労する…これは、私もカウンセリングの勉強をしている時に聞いたことがあります。「親が立派な子どもは、それだけでもプレッシャーに感じることがある」と。

それは、立派な親自身が子どもに自分と同じようなことを望みすぎる場合や、子ども自身が親のように立派になれないことでコンプレックスを抱いてしまった場合に、できない自分への葛藤や自己否定などのマイナス感情を抱いてしまうからです。

今回は、立派な親を持った女性の苦悩をお話しします。

◆明るく見える女性の苦悩

優月（仮名）さんが電話カウンセリングを最初に受けに来たのは、三年前の三十歳の時でした。その時優月さんは、障害者枠で会社勤めをしていました。明るく話すことが好きで、感じの良い女性です。

優月さんの父親は有名大学の教授です。母親も有名高校の教師をしていて、代々続くエリート一家というお話でした。そしてご両親は二人とも愛情をかけて育ててくれたと優月さんは言います。「自慢のお父さんとお母さん」と言い、立派なご両親を尊敬していると言っていました。

初めの頃は、優月さんは、立派なお父様を自慢げに話してくれました。優月さんの父親は、幼い頃から「人の役に立つ人間になりなさい」と言い、生き方について、進学など、将来立派な人になれるようにと、いろいろ厳しく指導してくれたそうです。いつも正しく、人から尊敬されている親を自慢に思いつつも、どこか息苦しさを感じていたように思えました。

話していると、とても前向きな知識豊かな女性ですが、肝心の心の問題にフォーカスするには少し時間がかかりました。

優月さんの相談内容は会社の人間関係です。一見コミュニケーションには困らないように思えますが、自分に自信がないため、必要以上に相手の気持ちを気にして、相手のちょっとした嫌な態度で嫌われたと思い、悩んで会社に行くのが辛くなってしまうという問題がありました。そして、電話カウンセリングをするもうひとつの理由は、優月さんは自分がこだわっていることについて、趣味の話など遠慮なく話せる人を望んでいたからでした。

回を重ねるごとに最初の印象とは違い、優月さんは孤独で自分を嫌い、自分を肯定できない、否定的な人だということが分かりました。人から嫌われるのが怖いため、本当の自分を見せることができなかったのです。そして、父親が望むような娘になれないことも優月さんを苦しめる原因になっていました。

◆発達障害の苦悩

優月さんは、進学校に入学しましたが、苦手な科目と出来る科目がはっきりしていて、高校生活は苦労の連続でした。試験勉強や宿題に苦労し、結局大学には行かずに就職することを選んだそうです。進学校の為、その年の学年で就職したのは優月さんひとりだったと言います。

その選択にはご両親からは猛反対されたそうです。「勉強をさぼっているからこんな事になるのだ」と、さんざん責められ、逃げるように都会の会社に就職して、ひとり暮らしを始めたそうです。優月さんは、さぼるつもりは少しもなく、自分なりに努力しようとしていましたが、なぜかみんなのようにできなかったのだと言います。ご両親に責められたことがとても辛かったそうです。

ずっと後になって分かったそうですが、彼女が家を出る少し前から、彼女のお兄さんがうつを患って会社に行けなくなっていたそうです。

ひとり暮らしを始めた優月さんは、以前からあこがれていたアパレル業界に就職し、販売員として働き始めました。優月さんは、持ち前の明るさで、新人なのに売り上げも良く、お客様からの評判も良かったそうです。

ところが問題が起こりました。半年くらいした頃から、優月さんにスタッフから不満が次々と起こってきたと言います。それは、優月さんは売上優先で、それ以外はやる気がなく、忘れたふりをして雑用を先輩たちにやらせているというのです。その内容は、出した服を畳まない、伝票の記入漏れが多い、仕入れの品物の点検を怠る、など接客以外の仕事に関してほとんどでした。そのため、他のスタッフが優月さんのフォローで仕事が増えて困ると言うのです。

優月さんは、接客以外は手を抜いているように同僚たちからは見えていました。でもその頃は、優月さんには「今度から気を付けて」とか「これをしてくださいね」と少し強めに言う位だったそうです。

ところがある日、優月さんは、終業間近に最後のお客様を見送る際、そのお客様と話し込んでしまいました。お客様は機嫌よく帰ったのですが、終業時間はとっくに過ぎてしまい、帰り支度が遅くなったことがきっかけで、みんなから次々に優月さんへの不満がぶつけられました。

「お客様にいい顔ばかりして、接客以外の仕事はやりたくないのでしょう！」

「おすすめした服が下に落ちても知らん顔で話し込んでいるなんて、信じられない」

「私たちがあなたの中途半端な仕事をいつもフォローしているのが分からないの？」

「何度も何度も同じことを注意されても直そうとしないなんて、私たちのことを馬鹿にしているんじゃないの？」

優月さんへの不満は、三十分以上も止まらなかったと言います。そのことがトラウマになり、以来職場でどう思われているのかいつも気になるようになったと言います。

優月さんは、注意されたことを直そうとしていました。でも、何度注意されても、ひとつの事に気を取られると忘れてしまうのです。

優月さんは、みんなから責められて何も言い返せず、次の日から出社できなくなったそうです。

優月さんは、外に出るのが怖くなってしまいました。人とすれ違うと悪口を言われている気がしてしまいます。優月さんは、心療内科を受診し、適応障害と診断されましたが、その際ＡＤＨＤと判明したそうです。

優月さんは、コミュニケーション能力もかなりあり、頭の回転も速かったため、周囲もなかなか気づけなかったのでしょう。診断された時は、正直ほっとしたと言っています。

【ＡＤＨＤ】注意欠陥・多動性障害

・仕事や学校での注意力が続かず、気が散ってしまうことがある
・こまかいことに集中できず、うっかりミスが多い
・落ち着きがない

・思い立ったらすぐ行動してしまうことがある
・計画性に欠けた行動をとってしまう
・自分の感情を制御することが難しく、怒りっぽくなったり、他人を傷つけるような言動をとってしまうことがある
・物事の優先順位が分からない
・物をすぐ失くす
・片付けられない

これらの特徴で、日常生活に支障をきたすことがあります。ただし、ADHDは一般的には脳の機能障害であり、簡単なテストで診断される疾患ではありません。診断は医師や専門家によって行われ、症状の程度や重症度に応じて、治療法が検討されます。

優月さんが言うには、責め立てた先輩たちも意地悪な人ではなかったそうです。先輩たちは、最初は優しく根気よく、仕事を間違えても丁寧に教えてくれていました。

それでも、いつまでたっても同じミスをする優月さんに、接客以外は仕事に対し真剣に向き合っていない、手を抜いている、適当な仕事をしてみんなに雑用を押し付けていると勘違いして、怒りを爆発させてしまったのだと言っていました。

優月さんは、子どもの頃から注意力が続かず、頭の回転は良かったものの、単純なことを覚えたりするのが苦手、九九を覚えたのもクラスでも最後の方でした。コツコツ練習をすることも苦手です。やらなければならない宿題も苦手、いつもぎりぎりでやっと提出できる場合が多く、人からはさぼっているように見られ、誤解されることもたびたびありました。

部屋の片付けもお母さんに何度言われても出来ません。部屋は母親が放っておくと散らかり放題になってしまいます。それに、手にしていた物を失くすのも日常的、そばにあっても気づかず、だらしない子と見られていました。さぼり癖のある子と誤解されることも少なくありませんでした。

さらに優月さんは、時間の配分もできません。友達と待ち合わせても遅刻してしまうこともたびたびありました。おまけに感情のコントロールが難しく、予想外の出来事が起きるとパニックになってしまいます。そして一度その人を嫌いになると、なかなか考え直すこともできません。

優月さんは、小学生の頃は一部の生徒からいじめられていました。それでも大きくなるにつれ、頭の回転も速かったので成績は興味のある教科によっては、優秀な方で、コミュニケーション能力もあったため、大学進学はしなかったものの、高校卒業後は希望していた職業にもすんなり就職できました。

学生時代は人と違うという、違和感をいつも感じていましたが、それほど大きな問題にはならずに過ごしていました。

ところが会社に入ると、マニュアル通りに行かないこともあり、仕事の優先順位もなかなか理解できません。優月さんは、真剣に取り組んでいましたが、目の前の仕事に没頭すると、前に来ていた仕事を忘れてしまいます。

それに、仕事の締切期限を忘れてしまったり、一年以上過ぎても要領のつかめない状態が続いていました。お客様への対応は良く、その面では評価されていましたが、やらなくてはいけないことを忘れてしまいます。そして、仕事の要領も良くないため時間がかかり、残業も多く、仕事に夢中になると遅くまで残業して体調を崩して休んでしまうこともありました。

優月さんは、「ここまでやったらダウンする」という加減も分かりませんでした。時々集中して遅くまで仕事をして、その結果疲れすぎて会社を休むことになるのです。話すことは得意なのに、やりたくない仕事は手を抜いているみたいにいい加減になる…周囲からはそう見えていたようです。

その事件以来、ＡＤＨＤのこともあり、現在は障害者枠で入社した会社で働いていますが、障害者枠のおかげで、仕事の融通もきいて、体調に合わせて休ませてもらうことも出来ています。収入は減りましたが気持ちはずいぶん楽になったそうです。

優月さんはその後一～二ヶ月に一度電話カウンセリングを受けていました。とりとめのない話も多かったのですが、自分の話した内容を覚えているか？私に確かめることもたびたびありました。それは優月さんが父親にいつもされていたことでした。

電話カウンセリングで一年が過ぎた頃、教師になった兄がうつで実家にいること、両親が自分を否定していることや立派な親の期待に応えられないこと、ＡＤＨＤだったと知らせても、なお
「資格をとれ」

「これからどうやって生きていくんだ」

「人に迷惑をかけてはいけない」

と、優月さんが実家に帰るたびにその言葉をご両親から言われてしまいます。

そんな親に対して反発して、尊敬の気持ちと憎しみの気持ち、相反する感情の間で苦しんでいるこ

とが分かりました。
それまで父親のことを良く言っていた優月さんに反発する気持ちがあったことを「分かっていましたよ」という私に
「…私はカウンセリングされていたんだ」とつぶやきました。
主に趣味の話や仕事の話が多かったので、カウンセリングされているように思えなかったのだと思います。優月さんは、趣味の話など思いきり自分の好きなことを否定されずに聞いてくれる話し相手が欲しいと思っていました。でも、優月さんが趣味の話や好きな歴史の話をしていても、私が見ていたのは優月さんの心です。そこで初めて優月さんは私がカウンセラーということを意識したのかもしれません。

優月さんは自分の気持ちを親に伝えることができませんでした。

なぜなら、優月さんが親のせいで生きづらいと言えば、うつになっているお兄さんのことで苦しんでいる両親をさらに苦しめることになるからです。

そして優月さんはいつも実家に帰る前には不安定になります。

「自分なんか、生きていても社会の役に立たない」

「どうせみんな私のことを変な人間だと思っている」

と、自分に対してネガティブな発言が多くなっていきます。

一見明るく見えていた優月さんの心の中は、ＡＤＨＤの診断が出た後でさえ、そのままの自分を両親に認めてもらうことができない自分を自己否定しています。そして自分の居場所を見つけられずに生きています。優月さんは、生きるのが苦しくなるくらい、どうしようもない世界の中で不安におびえているように見えました。

ただ、優月さんのご両親も、お金の管理もうまくできない優月さんが、たまにお金を借りに来ることで、自分たちがいなくなった後のことを考えると、いろいろ言わずにはいられなかったのだと思います。

◆生きづらさの原因

なぜ優月さんがそんな生きづらさを感じるようになってしまったのでしょう。

もちろん発達障害ということもありましたが、それ以前に、親からの「ねばならない」という概念が生きづらさの根本です。

親からのメッセージは

「正しく生きていかねばならない」

「人の役に立たねばならない」

「人様に迷惑をかけてはいけない」

これは見方を変えると

「それができない優月さんを否定する」ことになります。

優月さんは幼少期から、ずっと否定され続けていたのでした。そして親の価値観を受け継ぎ、親が言うような人間になれない自分を今もずっと攻め続けています。

発達障害と分かった今も、「こんなことでは将来生活できないぞ」という親の心配する言葉は、優月さんの生きる上での大きな不安になっています。

優月さんが得意な趣味には理解しようとはせず、「そんなことばかりしていても何の役にも立たない」と優月さんの良いところを認めることは一切してくれません。

父親から出る言葉は、「くだらない趣味に時間を費やすのなら、資格やこれからの人生に役立つことをしなさい」という言葉です。親の立場なら、そう思うのは仕方のないことかもしれません。

でも、みんなが普通に難なくできることが、うまくできないのが発達障害です。

対処法

価値観を押し付けない。

例え子どもであっても違う人格です。自分と同じようにできるとは限りません。個性やその子の良さに注目してそれを伸ばすことが大切です。

そして何より発達障害を疑った場合、その子の弱いと思われる部分がどこか、良いところはどこかを見極めましょう。焦って他の子と同じようにしなければとか、無理に何かさせよう、させなければいけないと思う行為が、親自身、そして子どものことも追い詰めてしまいます。良いところを認めれば、自信につながります。悪いところばかり指摘していれば「自分はダメだ」と思い込んで、何をするにも不安を感じてしまいます。

今は発達障害について詳しく検査してくれる病院もあります。発達障害についてたくさんの本も出ていますので、弱い部分をどう補うかを考えて補助することが大切です。
例えば、仕事の優先順位が分からないという時は、周りの方へ協力をお願いできるのであれば、してもらいましょう。あいまいな指示ではなく「いつまでに終わらせる」と具体的に指示してもらい、そして仕事を振る時には、一度にあれもこれもと頼まずに順番に頼むなどをしてもらえるとミスも少なくなります。

自分自身では、ポストイットなどに目の前に分かるように、やる事リストなどを書いて置くなど工夫をすると忘れることが少なくなる場合もあります。いずれにせよ、繰り返し同じことをすることで、ある程度定着できる場合があります。

他にも発達障害のクライエントも時々カウンセリングにいらっしゃいます。

ある人は
「会社に入って十年、仕事を覚える事に必死で回りの人を見る余裕もなかった。そして気が付いたらいつもひとり、会社で会食があっても誰も自分と話さない。仕方ないのでどこかで時間をつぶして、最初と最後だけ参加する」と言っていた方もいました。覚えるまで大変でしたが、長い年月をかけて、今ではほとんどミスもなく仕事は順調だそうです。今は、コミュニケーショントレーニングをしています。

忘れ物が多すぎて、それを回避するために行く場所ごとにバックを変える。ひとセットずつ財布なども鞄の中に入れ、忘れてはいけない必要なものを全部セットして入れておく工夫をしているという方もいます。それぞれに自分なりの工夫をしています。

◆優月さんのその後

その後、父親が優月さんがカウンセリングを受けていることを知ると「カウンセリングをなぜ受けているんだ。話したいことがあれば自分たちに話せば良いのに」と言われ、親からカウンセリングに払うお金のことを言われてしまったそうです。優月さんは、それを理解してもらうことができず、電話カウンセリングの期間が空いてしまいました。

久しぶりに優月さんが電話カウンセリングを受けた数日後、優月さんのご両親がカウンセリングルームに優月さんのことを聞きたいといらっしゃいました。

私は、優月さんの発達障害の状況と、なぜ生きづらくなっているのかをお話すると、「娘の将来を思う自分たちの発言が、娘を苦しめていた事」に気付いて、「もう一度お互いの気持ちを素直に話し合う」と言って帰りました。


しばらくして優月さんがカウンセリングに来た時、「心の中の想いを全部出せてずいぶん楽になれた」と言っていました。

まだ、ご両親とのわだかまりは全て解けているとは言えませんが、肝心な気持ちを素直に伝えることはしていきたいと話してくれました。

2 性同一性障害で誰にもカミングアウトできない

性同一性障害…自分のせいではないのに、人から偏見や差別を受ける人達がいます。または、自分自身を偽って、それと気づかれないように苦しむ人達もいます。一番辛いのは、自分が、自分自身を否定してしまうことです。

最近では昔ほどではなくなった偏見ですが、まだまだ理解されていないことも多いようです。

今回はそんな方々のお話です。

（ケース1）　自分を気持ち悪いと言う悟さんの例

「自分は気持ち悪い人間です」

席に着くなり苦しそうに話すその男性は、三十代の悟（仮名）さんです。

彼は、小学生の頃に自分が他の子と違うことに気が付いたそうです。それは、気になる子はいつも男の子、思春期になっても他の子のように、女の子を好きに思うことはなかったと言います。自分を偽り、友達に話を合わせてはいましたが、自分が好きになる相手は、その友達だったり、男性にしか心が動かないのです。

悟さんは、「自分が好きになる人はいつも男性で、女性を愛することができないのです」と言いました。

彼は、その思いを相手に打ち明ける事はありません。いつも自分自身を偽って生活しているのだそうです。

彼のご両親は二人とも教師をしています。そのせいか、とても倫理観にはうるさく、「こうでなければいけない」という考え方が強いと言います。

悟さんはいつも

「してはいけない事」

「しなくてはいけない事」をうるさく言われて育てられました。

悟さんが三十歳を過ぎてからは、ご両親は、悟さんの顔を見るたびに「早く結婚しなさい」と言うのが口癖になっていました。彼のご両親は、当然のことのように、彼が結婚して孫を抱ける日が来ると信じて疑いません。そして、そのことがとても苦しいのだと言います。

実は、そんなご両親のために、無理をして二年前に女性と交際してみたそうです。親のために子どもを見せたいと自分を偽りましたが、どうしても耐えられず、交際を断ってしまったそうです。

私は「同じような人が集まる場所に、一度行ってみてはいかがですか？」と提案してみましたが、それは断固拒否、彼は同性愛者、つまり自分自身も全否定しているのです。女性を愛する事ができない、自分自身を気持ちの悪い存在として拒絶していました。

自分自身を強く否定して生きていくことは、どんなに辛いことでしょう。胸がとても痛くなります。

私は、カウンセリングで悟さんの心をあまり軽くすることはできませんでした。そして、悟さんはその後カウンセリングに来ることはありませんでした。

性同一性障害は、自分のせいではありません。人と違うことが罪ではありません。自分を否定することは絶対にやめて欲しいと願います。

彼がどこかで、自分の居場所を見つけられて、少しでも、生きやすくいられることを祈っています。

【幸せに生きるための対策】

ＬＧＢＴ（バイセクシャル、レズビアン、ゲイ、トランスジェンダー）の人々は、自分自身を受け入れ、幸せに生きるために様々な方法を選択できるということを知ることが大切です。

・自分を知りましょう。

自分の性的指向やジェンダーのアイデンティティについて、自分自身を受け入れることが重要です。

情報を調べたり、LGBTのコミュニティに参加したりすることで、自己理解を深めることができます。

・自分を理解し、サポートしてくれる人を見つける

家族や友人、パートナー、専門家など、理解をしてくれる人々と話すことはとても大切です。サポートを受けることで、孤独感やストレスを軽減し、自分を受け入れることの手助けにもなります。

・コミュニティに参加

LGBTのコミュニティに参加することで、同じ経験を共有したり、支え合うことができます。LGBT団体やイベント、オンラインのコミュニティなど、自分に合った場所を見つけて参加してみてください。

・専門家のサポートを受ける

LGBTに特化したカウンセラーやサポートグループに参加することは、心の健康を保つのに必要な手段の一つです。

・権利を知る

自分の権利や法的保護について学ぶことも重要です。各国や地域によって異なりますが、自分の権利を知り、必要な場合には法的なサポートを受けることができます。

・**自分の性的指向やジェンダーアイデンティティを自由に表現**することは、個々の幸福感を高める方法でもあります。

文学、音楽、ファッション、アート、など、自己表現のための活動を楽しんでみてください。

・**心身の健康を保つために、適切な医療ケアや安全対策を受ける**ことも大切です。

性的健康やメンタルヘルスのサービスを提供している機関や専門家に相談しても良いですし、知識を持っておくのは大切なことです。

ＬＧＢＴの人々も、自分自身を大切にし、自分にとって少しでも生きやすい生き方を見つけましょう。

ＬＧＢＴ、キャリアアドバイザーへの相談などもあります。

＊ホルモン治療に関してはメリットとデメリットがあり、急激な変化はストレスや不安を引き起こす場合もありますので、専門家とよく話し合って慎重に進めましょう。

（ケース2）　性同一性障害と診断された男性

カウンセリングルームを開いて、まだ二〜三年の頃、電話で「自分は女の心を持っているのですが、自分らしくいたいので、スカートをはいてカウンセリングを受けたいのです」と言われました。電話の相手、光男（仮名）さんは五十代の男性です。私は、「その格好の方が自分らしさを出せるのでしたら構いません」とお答えしました。来るまでに何度かメールを頂きましたが、「先生に会うために洋服を買いました」という内容だったりで、他の方々とは違い、悩んでいるという感じは見受けられないメール内容でした。

いらした光男さんは、普通の男性、という印象です。トイレで着替えてＯＬっぽい格好になりました。話の内容は、精神科で性同一性障害と診断され、それ以来自分は女の心を持っているのだと思っていて、女性としてエステで仕事をしていた時期もあったそうです。

私は、違和感を覚えました。その後も悩んでいると言うより、「自分が性同一性障害でどれだけ女性に優しくされてきたか」と言うお話ばかりだったからです。

始まりは、彼が十代の頃に「心が女」と年上の女性に話したところ、興味を持たれ、性的なことをしてもらえたと言うことでした。若い頃はそのことを打ち明けると興味を持ってくれる女性がいて、性的なことを何度もしてもらえていたと言うのです。そして、先日はカラオケボックスの店員の態度が悪いと怒ったら、隣にいた女性店員が「ごめんなさい」と言って抱きしめてくれたそうです。どんな展開でそういう流れになったのかは、話してはくれませんでした。

私には彼が、（精神科医が診断したかは本当か分かりませんが）明らかに女性が好き、それ以前に心が女と言う部分が少しも見えないのです。

私から見れば、男として自信のなかった彼が、心が女と言うことで、若い時に周りの女性に優しくされたことが成功体験となり、女性の心を持った自分を演じさせているような気がしたのです。

そして、一時間の終盤に「僕のすべてを見て欲しいから全部脱ぎたい。見て欲しい」と言ってきました。私は「私が見たいのはあなたの心の中です。スカートをＯＫしたのは、その方が、あなたが自分自身を出せると言ったからで、服を着ても着なくても関係ないので、その必要はありません」とはっきりお伝えすると、悟さんはそのまま帰って行きました。

その後彼から、「自分は、本当は女装願望があるだけで、性同一性障害ではないような気がする」という内容のメールが来ました。

このような事例については複雑で、決めつける訳にはいきませんが、「自分は他の人と違っている」と苦しんでいる方は多く存在しています。

（ケース3）　オーバードーズした、男の心を持っている女性

その方がカウンセリングルームを訪れたのは一年前のことでした。本名は書きたくないと言い、「なんとお呼びすればよいですか？」と聞くと「瞬（仮名）」と、男性の名前で呼んで欲しいと言いました。瞬さんはＬＧＢＴで、家族からずっと否定され続けてきたと言います。

瞬さんは、自分の気持ちを保つために大学で心理を学び、職業は公務員というお話でした。心理を学んだ瞬さんは、いろいろなことを悟っているように見えていましたが、根本の部分では、自己否定が強く、自信が無いように思えました。

それでも話す内容は、最後は楽しい話になります。瞬さんは、カウンセラーにまで気を使う優しい人でした。それ故に瞬さんは、必要以上に心が疲れてしまうのだと思います。

瞬さんの家族は、年頃になっても男のような恰好しかしない瞬さんを、気持ち悪いと言い続け、

「お前はおかしい」といつも心無い言葉で瞬さんを傷つけていたのです。

月一回のペースで来る瞬さんは、カウンセリングに来ると、同僚の話や、周りにいる人が良い人だとか、いつも人の相談の聞き役だという話をしてくれました。それでも人間関係に苦手意識があり、自分の気持ちを話すことができないと言っていました。


そんな瞬さんからある晩突然、「死にたい」という電話がありました。大量の薬を飲んで電話をかけてきたのです。

私は「死にたいくらい辛いのね。でも、私はあなたに生きて欲しい…今は辛いかもしれないけど、これから幸せを感じることだってあると思う」と、ありきたりの言葉を並べてしまいました。動揺した私は、無意識に話しすぎていました。

私自身、先日楽しそうに話を終えた瞬さんが、急にそんなことを言ったので、冷静さを欠いてしまったのだと思います。

でも、瞬さんの口から出た言葉は、「今まで四十年生きてきて、一度も幸せだと思ったことはない」と言う言葉です。

瞬さんは今まで、人と違う自分を隠すため、着たくない服を着て、女性らしく振舞うことで自分自身を傷つけていたのです。瞬さんには、本当の自分でいられる居場所が無かったのです。今までも男性から「きれいだ」と言われるたびに嫌悪感が走り、吐き気がしたと言っていました。

「死にたい」と言われて焦る私に「先生、今日は良くしゃべりますね」と瞬さんは言いました。私が、「ごめんなさい、何でも言いたいことを言って」と言うと、しばらく沈黙が続き、「死にたいと言う言葉しか話すことはないか」と言いました。

その日はそれで終わりましたが、数日後、瞬さんから「この前はすみませんでした」と、あやまりの電話がありました。瞬さんは薬のせいで、三日間もうろうとしていて、仕事にも行けなかったそうです。私と話した内容も何も覚えてはいませんでした。

その後、瞬さんは安定し、話も職場の同僚の話や近況の話が続きました。

ある日、瞬さんの同僚が意外な特技があると知って驚いたという話をしていた時、瞬さん自身が何でも器用にできてしまうという話になりました。そしてその事を「自分ができる事がばれると、人からいい気になっていると思われる」と言いました。

「誰がそんなことを言ったの？」と聞くと、「母親とみんな」と答えます。

「お母さんの他にそう言った人は誰？」と聞くと、しばらく考えて「母親がいつもそう言っていた…そう言えば、お母さん以外に言われたことがないかもしれない」

「できると言うと、調子に乗っているとみんなに言われるから、とお母さんがいつも言っていた」と言うのです。これは親の刷り込みです。

「じゃあ、この前同僚が意外な特技があったと分かった時、いい気になっていると思った？」と聞きました。

瞬さんは、「すごい！って、素直に思った」と言いました。私は、それがあなたに対して他の人が思うことだよ」と返すと、「ああそうだったんだ」と、初めて人からそんなに悪く思われていない、むしろすごいと思われることを認識しました。

今まで人から褒められても「お世辞を言っている」とか「嫌味を言っている」と思い込んでいたそうです。

幼少期にいつも言われる親からの言葉は、呪いのように刷り込まれ、自己評価を変えてしまいます。

◆瞬さんのその後

親からの刷り込みに気が付いた瞬さんは、それから驚くほど変化を見せました。同僚のことも以前より信じられるようになり、自分の意見も積極的に言えるようになったそうです。

そして、自分と同じような人が集まるコミュニティにも参加して、その時には、スーツにネクタイをしていくのだと嬉しそうに語ってくれました。

「まだまだ私の住んでいる田舎では、受け入れられないと思うから、カミングアウトはできないけど、自分らしくいられる場所があることが、こんなに安心できるなんて思いませんでした」

その言葉を最後に、カウンセリングを終了しました。

出会った頃とは見違えるほど、明るい表情になった瞬さんを見て、心から幸せになって欲しいと思っています。

3　発達障害の婚活

近年の日本の婚活事情は、新型コロナウイルスの影響もあり、オンライン婚活が普及したと言われています。マッチングアプリやオンラインのお見合いサービスなどを利用している方も多いようです。

そして、リアルな出会いが少なくなったせいか、ＬＩＮＥの返信の頻度の相談やお付き合いの仕方など、電話相談で聞いてくる方も増えています。

昔のように、いくつまでに結婚したいというお話も少なくなっているように思えます。結婚を必須と考える方も減少して、シングルや非婚を選ぶ方も増えているそうですが、結婚願望がある方もまだまだ多いのではないでしょうか。

最近、発達障害の認知度も高まっているせいか、今は発達障害を持つ方への婚活サポートサービスを提供してくれるところも出来たようです。オンラインでの対応も強化され、地方にお住いの方々にも婚活サポートが受けられるようになったと聞いています。

今回のお話は、発達障害の障害者枠で働いている男性の婚活のお話をしたいと思います。

◆アスペルガー症候群（自閉スペクトラム症）と診断された男性

今から三年前、発達障害アスペルガー症候群と診断された大和（仮名）さんがカウンセリングルームを訪れました。大和さんは二十九歳の男性で、婚活に悩んでいると言っていました。

大和さんの悩みは、女性の気持ちが分からないということです。そして、自分でやる行動が他の人とずれていないか、とても気にしているようでした。きっと大和さんは、私に相談に来るまで、女性に対してだけでなく、人間関係で相当な苦労をしてきたのだと思います。

それでも大和さんは、私の意見を聞いてくれて、納得したら行動する素直なところがありました。自分のすることに自信がないため、純粋に自分のする行為が正しいのか、大和さんは、自分の考え方や行動に間違いが無いか、私に確かめて婚活に挑もうとしていました。

大和さんは、二年前から結婚相談所への登録と同時に、婚活アプリも利用していました。大和さんの婚活はとても大変だったようです。障害者枠で働いている彼は収入も少なく、デートにまで行かないことや、デートしても二度目に続かない、そんな経験をたくさんしていました。それでも、めげずに、何とか状況を変えたいと、カウンセリングを受けることにしたそうです。そして、私のアドバイスを参考にして、少しずつ修正しながら、一年半後には、ようやく正式にお付き合いできる方を見つけることができました。

彼は、いろいろな方とお会いして、自分のことを理解してくれる相手は、同じような悩みを持つ女性の方が良いと考えるようになっていました。本格的にお付き合いを始めた相手の女性は、精神科に通う女性でした。彼女は、軽度ですが、統合失調症と診断されているそうです。大和さんは、ずいぶん悩んだそうです。でも、自分もアスペルガー症候群で心療内科に通っていたため、そういう女性ならお互いのことを理解していけるのではないかということで決めたお付き合いでした。

お互いこだわりが強く、特にアスペルガー症候群の彼は、共感力が低いため、相手の気持ちを理解することが苦手でした。

交際が始まった頃にもこんなことがありました。彼女とのデートで、大和さんが遊園地に行く計画を立てた際、彼女から「この遊園地は二人で行くと別れるというジンクスがあるから嫌だ」と言われたそうです。すぐに電話カウンセリングを申し込んだ大和さんは、私に「せっかく自分が調べて計画を立てたのに、そんな事知るか」と、怒りに震えて電話して来たのです。

私は、「そう言ったということは、彼女はあなたと別れたくないという気持ちなのですね」とお伝えすると、少し黙ったあと、大和さんの怒りは静まり、「じゃあ、僕のことは少しは好きだということなんですね」と、相手の気持ちを考え、この件は終わりました。これは一つの例ですが、いつもこんな感じで、自分の気持ちだけでなく、相手側の気持ちを少しずつ理解していきました。そしていろありながら交際が進んでいきました。

その女性とのお付き合いを始めて一年程経った頃、ふたりは結婚を前向きに考えるようになりました。それを伝えるために、お互いのご両親へ会いに行くことになりました。その時にも、大和さんはカウンセリングに訪れ、向こうのご両親への対応や、こうしていきたいと自分が思うことが、相手に対して過剰にならないか等、自分のすることがおかしくないのか相談してきました。

その後お互いの両親と会うことになりましたが、最初は彼女の親に会うことにしたそうです。彼は、あいさつしたのち、

「これから結婚を前提にお付き合いをして、彼女との関係を大事にしていきたい」

と伝えたと言います。その場には、相手のご両親と妹さんがいて、大和さんの真面目そうな態度に好印象を抱いてくれたそうです。まずはひと安心です。

今度は大和さんの御両親に会う番になりました。そこで大和さんは悩んでしまいました。自分の両

親と彼女を合わせる際に、大和さんのご両親は、「家が散らかっているから、散らかる家に来られるのは嫌だ」と言ったそうです。そのため、自分達の家ではなく、ホテルでどうしても会いたいと言って譲らないと言うのです。大和さんは仕方なくそれを彼女に伝え、彼女はホテルで彼のご両親と会うことになりました。大和さんにはそれがとても許せなかったそうです。

「相手は自分の家に招いたのに、僕の親はホテルで会うなんて、彼女に失礼だと思われたのではないか」と心配しました。

私は「一番大切なのは、場所ではなく、お互いのご両親が、自分の子どもがどういう方とお付き合いをしているか知ることとです。そしてあなたのご両親と会うことで、彼女に大和さんの家族が、どういう家族か分かってもらうことです。あなたのご両親も彼女があなたと真剣にお付き合いしていることを知ることができます。大切なのは場所ではないと思いますよ」と、何が大切なのかをお話ししました。大和さんもそこで気持ちを切り替える事が出来ました。

それから、自分の友人に結婚することをどう話すかも迷っていました。どう伝えるのがいいか、事前に知らせるべきか、結婚後に知らせるべきか迷っていました。些細なことでも普通を気にする大和さんにとっては気になってしまいます。こうしてひとつひとつ、「どちらでも良いこと」や「真剣に考えた方が良いこと」を大和さんなりに学習していきました。

そして、結婚が決まると、新たな問題が起こりました。親や大和さんの姉が彼に対して、結婚後の妊娠について心配したことを彼が不愉快に思ってしまいました。

私は「大切に思っているから心配しているのです。子どもを育てるということは、お互いの病気のこともあるし、子育てができるかの心配やフォローしてもらわなければいけないことも出てくるかもしれません。遺伝など、考えることがたくさんあります。覚悟もいるし、お金もかかるし、あなたのことは家族だからこそ、心配するのは当然だと思います。」とお伝えしました。

そして、出産に関してはお互い心療内科に通っていたので、「精神科のお医者様とお話をして決めていくことが良いのでは？」とアドバイスしました。

彼は色々な出来事や相手の反応、認知の違いなどを相談しながら解決していきました。私はひとつひとつ彼の婚活が以前より進展していること、彼が人の気持ちに対して気づきがあることなどを指摘し、それを認識してもらいました。結婚が決まって以来、私に連絡して来ないということは、なんとかうまくやれているのだと思っています。一見依存させているのでは、と思えるかもしれませんが、私は本人の良い部分を指摘して、自信を持たせるだけです。時には提案をしますが、あくまでも本人の意思を大切にしています。うまくいったのは、彼の素直な部分、諦めない彼の人柄もあったのだと思います。アスペルガー症候群の傾向が強く出ている方でしたが、自分の特性を知り、素直に人の意見を聞ける柔軟な心を持っていたので、良い方と巡り合えたのだと思います。

きっと、彼のご両親は彼を否定せず、愛情豊かに育てたのだと思います。障害を持っていてもそれを受け入れ、諦めず、修正したり工夫すると人間関係も変わっていきます。自分のいいところをちゃんと見つけることが生きる勇気になります。

大和さんは、たくさん迷い、失敗もしながら、婚活を経て、私に「もうすぐ結婚します」という電話を最後に、連絡は途絶えました。

【発達障害の婚活について】

発達障害の人が婚活を行う場合、いくつかの要因や課題が考慮される必要があります。発達障害のある人の婚活事情に関するいくつかのポイントをお話しします。

・自分自身の性格や能力を明確に理解する

自分の特性や求めているものを理解して受け入れましょう。

・信頼できる人のサポート

友人や家族などのサポートを受けながら進めると良いでしょう。

・コミュニケーションスキル

発達障害の人は、コミュニケーションにおいて課題を抱えることがあるため、コミュニケーションスキルを高めることが重要です。コミュニケーショントレーニングや支援を受けることで、パートナーシップを築きやすくなります。

パートナー候補との関係を築くには、正直なコミュニケーションが大切です。自分の発達障害について相手に説明し、相手からの理解と協力を求めることが重要です。

・マッチングアプリ、専門の婚活サービス等

最近では、発達障害者向けの特別なオプションやサポートを提供しているところもあります。これらのサービスを活用することで、適切なパートナーも見つけやすくなるかもしれません。

・カウンセリングやサポート

婚活中にカウンセリングやサポートを受け、助けを借りることは、関係の課題を克服したり、健康なパートナーシップを築く手助けになります。

発達障害のある人の婚活は、課題があるかもしれませんが、適切なサポートと努力で成功することは可能です。

婚活で苦労するのは、発達障害の人だけではありません。あきらめないで行動してください。

4　発達障害を持った親への気持ちの持ち方

◆この本を書いた理由

私が初めて母親になった頃、我が家の子どもは、朝起きるとおとなしく、私を起こすことなくひとり遊びをしていました。お店に入っても「おとなしい赤ちゃんですね」と店員さんに驚かれるくらいでした。

二～三歳になっても、他のママ友と子どもたちでファミレスに行くと、他の子は店内でふらふら遊びまわっているのに「ご飯を食べる時は遊ばないでおとなしくしていようね」と言うと、ちゃんとルールを守る、そんな子でした。

そんな育てやすい反面、個性的なうちの子は、自分が思ったことは押し通す性格で、嫌と思うことは、他の子ども達がやっていても「やりたくない」と、はっきりしている意志の強い子どもでした。

幼児教育のリトミックの体験に行った時なども、みんなと同じことをするのを嫌がり、ひとりだけ違うことをしてしまうため「うちでは受け入れられません」と断られることもありました。

幼稚園でも絵を描く時には「空の色は水色、太陽は赤、土の色は茶色」と言うように、現実に沿った色しか使いません。そのため、その色が無い時には描けない、絶対にその色でなければいけないというこだわりもありました。逆に下の子は、その時の気分で、太陽が黄色とか、自由な発想を持っていました。私は、きょうだいの性格の違いだと気にしてはいませんでした。

そして、上の子は納得できないことにはとことん反抗、いらなくなった物を捨てるのにも大騒ぎでした。その頃、心の奥で一定数いる「もしかして育てづらい子？」という言葉が頭をよぎりました。

それでも、「自分の子にそんなことを考えてはいけない」と、打ち消してそのまま見過ごしてしまいました。ＡＤＨＤと分かったのはその子が大人になってからです。当時は今ほど発達障害についての理解はなかったのですが、「少し違う子」ということで、もう少し真剣にいろいろ調査するべきだったと後悔しています。

「他の子と同じようにさせなければいけない」と、焦る気持ちがどんどん自分と子どもを苦しめてしまうことを少しでも皆様に知っていただけたらと思います。

私自身、今の知識があれば、子育てが随分違っていたという後悔があります。今思えば、当時の私は、子どもの気持ちを理解していない、知ろうともしていない未熟な母親だったと思います。知識があればもっと違う子育てができた。子どもたちがもっと生きやすくなったのではないかと思っています。

◆発達障害の子どもを持ったらどう考えるべきか?

発達障害がある人は、空気を読んだり、人の気持ちを推測したりすることが、一般的な人より弱いことが分かっています。

先天的な脳の働きの問題ですので、本人の努力だけでは改善することが難しいのです。

近年発達障害の子どもが増えていると言われていますが、発達障害への周知が進んできたために自分や身近な人がそうかもしれないとクリニックに行き、診断されるようになったためだと考えられていますが、それだけでは説明がつかないほど増えすぎているということも推測されています。

ただ、もしかしたら以前から、こうした特性を持つ多くの人が苦しんできたのかもしれません。それだけ発達障害を持つ人は、珍しい存在ではなく、身近な存在だということを知っていただけたらと思います。

まずは、本人と周囲の人が、発達障害を正しくその特徴を理解し、対策を取り合うことが大切です。疑いがあったら専門機関を受診しましょう。

もし、発達障害と診断されたら、それについて知識を得てください。今はたくさん本も出ています。

発達障害は多種多様で、同じＡＤＨＤでもそれぞれの特性があり、一概に言えるものではありません。具体的な症状や子どもの特性を理解してサポートすることが大切です。

そして、そのままの子どもを受け入れて、決して否定しないでください。

例え、他の子が簡単にできることが難しくて、他の子ども達と同じことが出来なくても、枠にはまらない素晴らしい特性がある場合もあります。できないことばかり指摘して「自分はダメな子」というイメージを植え付けないでください。それは今後の生きづらさになります。

今では療育などで、幼少期や発達初期の段階で発達の遅れや障害を持つ子どもに対して、専門家の適切な支援とサービスを提供するプログラムやアプローチなどもしてくれる機関もあるようです。ひとりで悩まずに専門家に聞いたり、調べてみてください。

療育は、子どもに影響を及ぼす潜在的な課題や問題を早期に特定し、適切な介入を行うことを目的としています。療育の主な目的は、子どもの能力やスキルを最大限に発展させ、発達の違いや遅れを縮小することです。まずは家庭だけで抱え込まず、知識を得るためにいろいろ相談できるところに行ってみましょう。療育やカウンセリングなど、子どものニーズに合わせたサポートを受けるために、専門家との連携も大切になります。

そして、家族全員が理解し、サポートしあうことで家庭生活もより円滑になります。

それから親自身のストレスの軽減も大切です。子どもとの関係を良好に保てる工夫をしましょう。自閉症で子どもを抱きしめられないという苦しみを抱えている方もいると思います。同じような悩みの方とつながったりして、孤独にならないという意味でも、積極的にできる行動をしてみてください。

親自身のストレスケアとして、発達障害の子どもを持つ親のサポートグループに参加して、親自身の悩みのシェアーをしたり、感情やストレスをケアすることも大切だと思います。

そして子どもに対して無理な期待はせずに、子どもが得意とすることや小さな成功、出来たことを喜ぶことで、子どもの自信やモチベーションを高めてあげましょう。

発達障害…障害とつくので「恥ずかしい」と思う方が一部にいらっしゃいます。でも、世界的に有名な方、実業家など、著名人もたくさんいます。

足りない部分は補う工夫やサポートでうまく才能をのばしている人もいます。その子の長所を見つけてあげてそれを伸ばしてください。

以前友人から、知的障害の兄弟がいる事を打ち明けられました。ご両親が子どもを不憫に思い、世間で嫌な思いをしないように仕事もさせず家で大切に育てたそうです。

年月が経ち、年老いた時、自分達がいなくなった時のことを考えて、グループホームのような受け入れ施設を探しましたが、それまで家族以外の人と接したことが無かったため、協調性が難しいということでかなりの施設で断られたということでした。

確かに社会に出れば嫌なこともたくさんあります。嫌な人もたくさんいると思います。でも、そんな人ばかりではありません。発達障害の人の就労支援などもありますし、サポート団体もあります。

私たち親は、いつまでも元気で子どもを守れるわけではありませんので、その子に合った働き方や社会へのかかわり方を見つけて、少しでも生きやすい世界になるようにサポートできることが理想だと思います。

【発達障害の見方を変える】

＊必ずしもみんなが当てはまるわけではありません。これからは、例えば、の可能性のお話です。それぞれの特性を活かすと長所になります。

・変化を嫌う

同じ事の繰り返しが苦にならない特徴は、毎日同じ事を繰り返すうちに仕事のレベルが上がっていく職種を選んだり、こまかいデーター等、飽きずに研究、分析できる研究支援職などに向いているかもしれません。

・記憶力に優れている

膨大な資料などを読んで整理する職場などが適している可能性があります。

・多動性、衝動性傾向が強い

活動的な事が多いので事業家、起業家の方も結構います。

・不注意が多い

ひとつのことにこだわらないアイディア豊かな方が多いので、クリエイティブな仕事についている方も多いです。

・**感覚過敏**

普通の人では気付かない変化や違いが分かります。視覚過敏の人は特定の色や光、聴覚過敏の人が聞く、一般の人では聞こえない音で、芸術的な独創性につながることもあるそうです。

・**思ったことをすぐ口に出してしまう**

嘘が無いという信頼感にもつながると思います。不注意という特性を持つ一方、肝心な時に集中力を見せ、本番に強いという傾向を持つこともあります。

・**理屈で納得しないと動かない**

感情に流されず、理論で考える良さがあります。意見を求められるアドバイザー的役割ができる可能性があります。

・**つらい出来事を引きずりやすい傾向**

過去の失敗を忘れず、未来につなげられる良い一面もあると思います。

大切なのは、それぞれの特性を否定するのではなく、知識を得て、良い部分を伸ばしていくことが生きる力になると思います。

第四章

教育・家庭・社会における コミュニケーション問題

1　嘘をついてしまう若者

誰にでも一度や二度の嘘をついた経験はあると思います。ところが、止めたいと思っていても、とっさに嘘をついてしまうというご相談は、意外とあるのです。

今回は、すぐにばれてしまう嘘をつくことが止められない若者のお話をしたいと思います。

◆会社に居づらくなった理由

蒼汰（仮名）さんは、二十代半ばのとても感じの良い印象の男性でした。今の会社に就職して二年目だそうです。その蒼汰さんは、カウンセリングルームのソファーに座るや否や「このままではクビになってしまいます。助けてください」と言いました。

営業職の彼は、営業マンらしく、感じ良く話せる人ですが、彼の悩みは深刻でした。

蒼汰さんは、昔から人から嫌われるのが嫌すぎて、すぐにばれるのにその場しのぎの嘘が出てしまうと言うのです。そのため繰り返される嘘に、会社での信用をどんどん失っていました。

カウンセリングをしながら、嘘をついてしまう原因を探るのと同時に、私は、彼に嘘をつくことがどんな不利益をもたらすのか？客観視できるように、書き出してもらうことを宿題にしました。

その後、何度かカウンセリングに来た彼は、

「先生からの宿題を実行して、かなり嘘は減ったのですが、まだ、上司などから急に声を掛けられ、「あの仕事は処理できたのか」と言われると、焦って、やっていないのに、「終わりました」と嘘が出てしまいます」もちろん、その嘘はすぐにばれて、みんなから呆れられています。「先生、どうしたらいいのでしょうか？」と困り果てていました。

◆彼の問題

カウンセリングを進めるうちに、蒼汰さんの課題が分かりました。実は、蒼汰さんは自分の感情が分からないというのです。

「自分がどうしたいのか？」

「何を望んでいるのか?」分かりません。

蒼汰さんは、実の母親からも「何を考えているのか分からない」と言われているそうです。それでも蒼汰さんは、社交的で友人も多いそうです。友達にも蒼汰さんは、いつも相手に嫌われないように、相手に合わせて話をしていたのです。人から嫌われるのが嫌すぎて、自分の事はあまり言わず、子どもの頃から人に合わせてばかりいるうちに、自分がどうしたいのか?何を望んでいるのかが全く分からなくなってしまったのです。


では、何故そうなってしまったのでしょうか?

それは、蒼汰さんの幼少期の家庭にありました。蒼汰さんは、父方のおばあちゃんと母親と父親、妹の五人で住んでいました。孫には優しいおばあちゃんでしたが、母親に対する態度が蒼汰さん達に気を使わせる原因になりました。

その理由は、おばあちゃんが母親にきつく当たっていたからです。影で母親が泣いているところも見ていました。それに、蒼汰さんや妹が何か気に入らないことをするたびに、母親が嫌味を言われていたのも見ていました。成績で悪い点を取ったら「息子は頭が良いのに、あなたに似たのかしら」

「頭の悪さはあなた似ね」と自分たちのせいで母親がおばあちゃんに言われてしまいます。それに、おばあちゃんに反抗的な態度をとると「あなたのしつけが悪いから、こんな口を利くのよ」と、いちいち自分たちのせいで母親が責められていたことにも心を痛めていました。

そのため蒼汰さんは、大人の顔色をうかがい、良い子を演じる癖がついてしまったのです。素直に自分の気持ちを話せば、母親が怒られてしまう出来事が繰り返された結果、「自分の気持ちを話してはいけない」と思うようになってしまったのです。おばあちゃんから母親が責められないように嘘をつく癖も出来てしまいました。それから、自分の気持ちを押し殺して良い子を演じていたため、いつの間にか大人になっても「自分の気持ち」が分からなくなったのです。

◆カウンセリングで改善した事

まず、最初に嘘がどういう結果をもたらしているのか、頭で考えるだけでなく、客観的に見てもらうため、書き出してもらいました。

1.「出来事」→「どんな嘘を言ってしまったのか」→「結果どうなったか」嘘を言うたびに書いて

もらうように、それを宿題にしました。

その結果、嘘をつくことによるデメリットが分かり、ある程度は改善されましたが、まだとっさに嘘が出てしまうことがありました。カウンセリングが進むにつれて、その原因が見えた気がしました。はっきりではありませんが、感情の部分が無いからでは？と思ったのです。

嘘がばれて「とても恥ずかしかった」とか「悔しかった」「情けなかった」などの強い感情が出ると、「こんな思いはしたくないから、嘘をつきたくない」となるのですが、彼は周りの反応を見て「まずい」と思うだけで、自分の気持ちが希薄のような気がしたのです。

2．次の宿題は、自分の感情を感じることです。

そのやり方は、日々自分の気持ちにフォーカスすることです。毎日、何かをしている時に、例えばテレビを見ている時、映画を見る時、電車に乗った時、「自分がどう感じているのか？どう思っているのか？」自分の気持ちにフォーカスしてもらいました。

そして、気持ちがつかめたら、今まで嫌われるのが嫌で自分の気持ちを伝えられなかったことを、話しても良さそうな人に、伝えてもらいました。

蒼汰さんは最初は気持ちを伝えることに抵抗感があり、なかなか行動に移せず、苦労しているようでした。

そして最後にもう一つ

3．自分ができている事を認めて褒める…をしてもらいました。

できないところを見てダメ出しするのではなく、「出来たら褒める」ただそれだけです。人は、ダメ出しするより、褒めた方が行動が早く改善します。

褒めるように伝えると、蒼汰さんは「それって調子に乗りませんか？」と、聞いてきました。私は「どんどん調子に乗ってください」とお伝えしました。

◆宿題を終えた蒼汰さん

二ヶ月後、彼は明るい顔でカウンセリングルームを訪れました。ソファーに座るとすぐに、「僕、とっても調子に乗っています」と、嬉しそうに報告してくれました。

「人に自分の気持ちを伝えたら嫌われると思っていたのに、友人とは前よりずっと仲良くなれました」と、嬉しそうに話してくれました。

人間関係も以前より良好になったそうです。蒼汰さんは、以前は友達が多いと思っていました。でも、その関係は、希薄だったと気づいたそうです。今では、友達とも以前よりずっと自然体で付き合え、友人との付き合いもとても楽しくなっていると言っていました。会社の人とのコミュニケーションも良くなったそうです。驚いたことに、あれだけ苦労していた嘘をつく癖も、自然と出なくなったと言っていました。

【嘘をつく心理】

- ・自分自身の評判や自尊心を守るために嘘をつく
- ・自分自身をうまく表現する事が出来ず、自分の感情や考えを他の人に伝えられないので嘘をつく
- ・個人が自分自身に注目を集めようとしている場合

あるいは、人に自分の存在を認識させるための手段として使う

・ストレスや感情的な緊張で、すぐにばれる嘘をついてしまう

とっさにばれると分かる嘘をついてしまう要因

・緊張やプレッシャーがある状況では、人は冷静な判断ができなくなることがあります。この時、本能的な自己防衛として嘘をつくのです。

・何度も嘘をついてきたことで、習慣的になり、条件反射的に嘘をつく

・即座に発生した問題を避けるため、長期的な結果を考慮できない

・自分の行動やその後の結果を完全には理解していない場合、とっさの嘘が結果的にばれる事を予測できない

＊このような行動は、個人の心理的側面の状況に深く根付いています。とっさの嘘は、状況の深刻さや個人の心理状態を反映していることが多いのです。

【嘘をつく癖の対処法】

・嘘をついていることを自覚しましょう。

・嘘をつく理由を理解しましょう。（不安、ストレス、自尊心の向上、自己保身など、嘘をつく背後の心理的な要因を探ると、より具体的な問題解決の手段を見つけることができます）

・行動を変える重要なステップは、自分の行動に責任を持つことです。

嘘の結果から逃げるのではなく、その事の責任を認める事が大切です。

・専門家やプロの助けを求めることも有効です。

・正直に自分の感情や思考を表現する方法を学び、新たなコミュニケーションスキルを身に着けましょう。

＊行動を変える事は時間や努力を必要とします。うまくいかないことや後退があってもあきらめずやり続けることで変化は必ずあります。

長年つけてきた嘘をつく癖は、なかなかすぐに改善するのは難しいかもしれません。それでも、自分を信じて少しずつでも前進するように心がけることが必要だと思います。彼だけではなく、嘘をつく癖がある人は、たまにカウンセリングルームに来ています。「何でこんな嘘をついてしまうんだろう」と責めてばかりいても改善はできないので、ひとりで改善できない場合は専門家に相談して、根気よく改善に努めてください。

2　教育虐待

教育虐待という言葉をご存じですか？

世界的にも深刻な問題とされている教育虐待とは、教育者や親、祖父母などが学習圧力、身体的または精神的な懲罰を与えたり、良い点を取らないと無視をしたり軽蔑したり、過度な期待、プレッシャーを与えるなどの虐待行為を指します。

子どものためと思っていても、子どもの気持ちを無視して教育熱心になり、強く勉強を押し付けてしまうのは、虐待に当たります。

教育虐待が過ぎて、大変な事件になった例もあります。

その二つの例をお話しします。

（ケース1）　母親が娘を管理、九浪した娘が母親を殺してバラバラにした事件

高卒だった母親が、自分の娘を医者にしようと、母親が決めた特定の国立大医学部に入れるため、

常軌を逸したスパルタ教育をしました。

その一例ですが、小学生の時に、娘さんはテストの点を改ざんしました。

それは、娘が良い点を取らなければ鉄パイプで繰り返し、たたいていたことが原因でした。たたかれるのが嫌でテストの点を改ざんしたことがばれて、娘さんは熱湯をかけられ、足の皮がむけたこともあったそうです。

いつも出来ない娘を罵倒、過度なプレッシャーをかけ続けたため、学習意欲が低下してしまい、その結果、医大に落ち続け、九浪してしまいました。

九浪させた理由は、母親が、娘が医大に不合格だったことが受け入れられず、親戚には「合格した」とウソをついてしまったためだったようです。娘に口裏を合わせるように命じ、何が何でも合格させようと受験させ続けたのです。

浪人時代の母親の干渉は異常で、二十歳を超えた娘に携帯も持たせず、入浴中まで監視、耐え切れなくて娘さんは何度か家出しましたが、探偵を雇って、そのたび連れ戻されたそうです。

九浪をして、母親はようやく医学部をあきらめ、滋賀医科大学医学部看護学科に入学させました。

娘は受験が終わったことでホッとしたそうです。ですがその後、「手術室の看護師」が希望だった娘の気持ちを無視して、助産師の方が医者に近いと思っていた母親が、さらに娘を追い込むことになりました。

これほどまでに娘を国立医大に入れようとした原因は、母親自身が自分の母親に認めてもらうためだったと考えられます。娘を使って自己実現しようとしたのかも知れません。

（ケース2） 父親が教育虐待をして九州大学生の長男が父親と母親を殺してしまった事件

学歴コンプレックスがあった父親から、教育的な虐待が繰り返されたため、中学の時から父親に殺意を抱いていたと言います。

父親の意に添うように中学受験、大学受験をする一方、成績が悪いと長時間正座させられ、人格否定されていたと言います。

大学に入ってもまだ続く虐待に耐え切れず、止めに入った母親までも殺す、あり得ない殺人を犯してしまいました。

長男は、中学の頃から父親に復讐心を抱き、高校の頃には、殺害を考えるようになったのだと言います。彼は、復讐心だけで生きていて、それを放棄すれば、生きてきた意味がなくなると言ったそうです。でも、実際、実行してみて、満足感や達成感は感じられず、後悔する気持ちも強いと話したそうです。それでも、両親を殺してしまったその兄に対して妹は「とても優しい兄だった」と語ったそうです。

これほどまでに教育熱心になってしまう背景は、親が我が子を使って「自己実現」をしようとしているためです。

でも、その親の自己実現のために、一方的に親が敷いたレール、それをはみ出さないように頑張り続けなければいけない、はみ出すことを許されない環境は、子どもにとって苦痛でしかありません。

その中に子どもの考え、希望は一切受け入れられないと、不満ばかりが募ってしまい、親への恨みや恐怖心で、親子関係が破綻してしまいます。

もし、「子どもの将来を考えて」と子どもの進路を決めてしまっているのなら、やりすぎていないか?子どもの気持ちはどうか?を考えてみてください。

こんな未来を子どもに与えるために、勉強させたのではないと思います。困ったことに、将来のことを考えて教育熱心になるあまり、それとは気づかないうちにしてしまっている方も多くいると思います。良かれと思ってした教育虐待の結果、学習へのモチベーションを失う可能性があり、精神的な健康問題（ストレス、うつ病など）を発症したり、自己肯定感や自尊心を持てない人にしてしまう可能性があります。

身体的な体罰は、教育としては許されません。

また、名誉を傷つける言葉や侮辱、無視、脅迫などの精神的な懲罰も虐待とみなされます。そして過度の競争を強いることも、子どもに不必要なストレスや劣等感を引き起こす可能性もあります。

確かに学力が高ければ一流の会社に勤めることができたり、生活を安定させる可能性が高い事はあると思います。でも、子どもに対する過度な学習要求や期待は、心理的なストレスを引き起こすことになってしまいます。

勉強で「良い点を取らなければいけない」と厳しく言われ続けることは、「良い成績、結果を出さない自分はダメな人間だ」という強迫観念を植え付けてしまいます。

それは大人になってもかなり影響を与えることになります。人は、幼少期から青年期などで遊びや学校の中で人間関係を学びます。友達と喧嘩をしたり、嫌なこと、楽しいことから色々経験し、学び、成長できることもあるのです。そこからコミュニケーション能力も育ちます。

カウンセリングルームに来る方の中で、高学歴、一流企業に勤めたのに、人間関係がうまくいかず会社に行けなくなったというご相談も少なくありません。

「遊びたいのを我慢して、良い大学に入ったけど友達ができなかった」

「やっと良い会社に入ったのに、人間関係が苦手、会社に行けなくなった、辞めてしまった」

というご相談です。

学歴もとても大切だと思いますが、コミュニケーション能力もそれと同じ、またはそれ以上にとても大切だと思います。

人の幸福度を高めるために必要なことは、「良好な人間関係」だと言われています。

職種によって異なりますが、それが低い人に比べると生涯年収もアップするというデーターも出ているそうです。

もちろん、人の幸福は人間関係だけで決まるものではありません。自分にとって幸せを感じられる生き方や働き方を選択することが大切です。

〈伝えたい事〉

親として子どもには将来困らないように、立派な人になって欲しいとか、良い学校に行って欲しい、人に好かれる子になって欲しいなど、いろんな思いが出るのは当然だと思います。

ただ、子どもに「これが出来なければダメな子」…というイメージはつけないで欲しいのです。頑張っているところに注目して、そこを拾ってあげましょう。

「当たり前は目立たない」ので、できて当然と思い、できないところばかりを指摘するのではなく「ここはできていてすごいよね。ここが出来ればもっと良くなるね」というように、子どもにやる気や勇気を与える言葉かけをして欲しいと思います。

人は、欠点を直そうとしてそこにフォーカスしがちですが、実は長所を伸ばした方が欠点は早く直ると言われています。

コミュニケーションは家庭で学びます。

親自身がダメ出しされて育っていたら、なかなか実行できないと思いますので、自分自身にもダメ出しをせず、出来ているところを拾ってください。自分を褒められない人は、子どもを褒めるのも苦手な場合が多いのです。

自分の親が褒めてくれない方は、自分自身でそれをしてください。「自分ができていることを認める、ほめる」です。

3 長年にわたる引きこもり

引きこもり問題は、若者だけでなく、高齢者にも増えている深刻な問題と言われています。引きこもりとは、社会から一時的、または長期的に隔離した生活を送る人々を指す言葉です。

原因は多岐にわたり、それぞれのケースによって異なりますが、一般的に考えられる原因や背景をお話したいと思います。

まず多いのが、学校や職場などでのいじめがきっかけで引きこもりになるケースです。心無い言葉や暴力で傷つけられ、自分には価値が無い、居場所が無いと思い込み、人と関わることに恐怖心を覚えてしまい、外に出るのが怖くなってしまうのです。

心に傷を負ってしまうためPTSDやうつ病、不安障害など心の病気を発症してしまう場合もあります。

その他のことが原因でも、うつ病や社会不安障害、発達障害によるコミュニケーションの不安、問題など精神的な健康問題が背景にある場合もあります。

また、学校の教育方法に適応できない、環境が合わない、学力がついていかなくて引きこもりになってしまう場合もあります。

それから、家族や社会からの期待が高いと感じ、それに答えられない、対応できないプレッシャーを感じてしまうケースもあります。家庭内での対人関係の問題や家族の過保護などが影響する場合もあります。

ひとつの要因だけで引きこもりの原因となる訳ではありません。経験や個人の背景、環境など、複雑に影響して引きこもりになる場合が多いようです。

改善策

引きこもりを改善するためには、個人の状況や原因に合わせた対策が必要ですが、一般的には以下のようなアプローチが有効とされています。

・精神医療の専門家のサポートや心理カウンセリングを受ける

状況に応じて継続的な治療が必要です。場合によっては家族が受けることも有効です。ストレスや不安などを理解して共感することができます。

・自己の価値を認識し、自己肯定感を高めることが大切です

成功体験を積むことで、自信をつけましょう。

・家族が引きこもりの原因を理解し、適切な対応、そしてサポートをすることが大切です

無理に外出を促すのではなく、その感情と状況を尊重する姿勢が必要です。

・家族や友人とのコミュニケーションを促進することも重要です

相談できる人がいることで、孤立感を軽減できます。

・日常的な生活リズムを取り戻し、社会との接触を少しずつ増やしていくことも大切です

突然の大きな変化ではなく、小さな一歩から始めます。例えば、短時間の外出や趣味の活動など、本人が興味を持てることから始めると良いでしょう。

・引きこもっている人の興味を持つものや得意なことを見つけて、それを活かして自己肯定感を高めましょう

趣味や興味を持てるものを見つけることで、外への一歩を踏み出しやすくなります。オンラインやクラブ活動などが有効な場合もあります。

・地域社会やNPOがサポートするサービスやボランティア活動に参加し、社会との接触の機会を増やす

・職業訓練や学びの機会を得ることで、社会に参加するためのスキルや知識を習得する

・ストレスや精神的な負担を軽減する

マインドフルネスやリラクゼーション、適切な睡眠や食事の見直しなどをして、心の回復を図りましょう。

ひきこもりの改善は時間がかかることもあります。焦らず、本人のペースに合わせて支援を行うことが重要です。また、家族や支援者も、自分自身の感情やストレスに注意し、必要に応じて自分自身のサポートも求めることが大切です。

再発を防ぐため、引きこもりの状況が改善されたあとも、定期的なフォローアップやサポートを継続することをお勧めします。

不登校・ひきこもりの家族がいる方へ

私が心理カウンセラーの勉強を始めたきっかけは、子どもの不登校でした。「今なら受験に間に合う」そんな思いが子どもをさらに追い詰めてしまいました。

当時は、同じ年頃の学生が楽しそうに学校に行く風景を見ながら、「なぜあの中にうちの子がいないのだろう？」と、苦しい思いに押しつぶされそうな毎日でした。

子どもに何かあれば母親が悪いという風潮も私を苦しめました。

「将来どうなるのだろう？」

「早く学校に復帰させないと」

そんな焦りで空回りばかりしていました。家にいると娘を追い詰めると思い、藁にもすがる想いでカウンセラーの勉強を始めました。カウンセラーの勉強をして一番良かったのは、自分自身の心が楽になったことです。

心理の勉強をして、そのことで娘を追い詰めることも無くなりました。

◆ひきこもりの原因

引きこもる原因の多くは「不安」だと思います。

人とうまく関われない不安、社会から取り残されたような不安、社会に出ることへの不安、人からどう見られているかの不安…

ここでお願いしたいのは、そんな引きこもっている家族に不安感を抱かせないこと、世間体を気にしないで欲しいということです。

「勉強遅れちゃうよ」

「なぜ行かないの？」

「学校に行かないと、将来たいした仕事に就けないよ」
「ご近所にどう思われるか、みっともない」等など

これは非言語で

「勉強遅れたらダメ」
「行かないあなたはダメ」
と外に出ることができない家族を否定する、不安をあおることになります。

学校や会社に行かなければいけないことは本人も分かっているのです。でも、それができない、勇気が出ない、怖いという状態で外に出られない場合が多いのです。

そういう家族に対して、不安なことや出来ない自分はダメと思わせては、なおさら外に出る勇気が起きなくなります。

今は行くエネルギーが無いということを理解して、まずは心の回復、不安を取り除く工夫をする…例えば、人とコミュ二ケーションを取ることが苦手なら、あまり人とかかわらなくても良い職業を考えるなど。そのためにはどんな勉強が必要なのかを調べるなど可能性を探してください。

一番良くないのは「こうでなければだめだ」と思うことです。

いろいろな道がある、修正はきくことを教えてあげてください。もし、それを受け入れられないのなら、自己肯定感が低く自信がない、投げやりになっているようなので、まずは心のサポート、その子の良いところを指摘してあげる、そのままの自分を認めて自己肯定感を持たせることから始めてください。

4　自分の意見が言えない子どもたち

日本人は自己主張が出来ない人が多いと言われがちですが、子ども達が自分の意見を言えない理由について、お話したいと思います。

◆自分の意見が言えない子どもたちはなぜできるのか？

自分の意見を言えない子どもたちの背後には、さまざまな理由や要因が影響していることが考えられます。

・**教育制度**

日本の教育制度では、協調性や思いやりを重視する傾向にあります。生徒たちは教師や親の意見を尊重し、子どもは自分の意見を主張するよりも、周囲に合わせることを優先する傾向にあります。

・**文化**

日本の文化では、集団や社会全体の調和が重視されます。個人の異なる意見を受け入れにくい環境があり、子どもたちが自分の意見を抑える傾向にあります。一般的に、自分の意見を主張すると周囲から批判されるというイメージがあります。

・**スマートフォンやソーシャルメディア**

スマートフォンやソーシャルメディアの普及により対面でのコミュニケーションが減少し、自分の意見を表現する機会も同様に減っている可能性も考えられます。

・**生活環境の変化**

経済的な将来の不安やプレッシャーが増加している現在では、子どもが将来に対する希望や夢を抱くことが難しくなっています。それが自分の意見を形成することを難しくしていると考えられます。

これまでの話は、社会問題に関連していましたが、次に家庭環境に焦点を当ててお話をしたいと思います。

・**子どもの気質や性格**

生まれながらの気質や性格も影響します。控えめな子や争いごとが苦手、人との対立を避ける傾向の子どももいますが、この場合、成長過程で意見を言うなどの成功体験を積むことで、自信をつけ、表現力を高めることも可能です。

・**親の意見や価値観の強い押し付け**

子どもが別の意見を言うことを許されない体験が多い場合、自分の意見や感情を表現してはいけないと感じるようになります。続けてこれが行われると「自分の意見を持つことは良くないことだ」という考えが芽生え、自ら考えることを避けるようになります。

・**意見や感情の否定**

子どもが自分の意見や感情を表現した時に、否定されたり、叱られたりすることが続くと、自分の意見を抑えてしまい、感情を表現してはいけないと感じるようになります。

このような状態が続くと、自分の意見が正しいかどうか自信を持つことが出来なくなります。周囲の反応を恐れて意見を言うことで否定されたり、批判されたりするのではと考えて、不安や恐れを抱いてしまい発言することに消極的になって、意見を言うことを避けがちになります。

・過保護な子育て

親が子どもを過保護にして、事前に手助けし、先回りする子育てをしている場合、子どもが自分で判断をする機会が少なくなります。そのため、自らの意見や考えを持って発言することが難しくなり、自分の意見を持ちにくくなります。

・親の期待が強すぎる

親が子どもに高い期待を持ち、子どもがそれに答えようとして自分の意見より親の意向を優先してしまう場合（子どもは無意識に親に気に入られるようにすることがある）、子どもは自分の気持ちや意見を言わなくなります。

・非主張的な親の影響

親や周りの大人が自分の意見や感情を表現しない姿を見て育つと、子どももそのような行動を学んで、自分の意見を言うことを避けてしまい、周囲の大人と同じように意見や感情を出さないことを学んでしまいます。

・家庭内のコミュニケーション不足

家庭の中でのコミュニケーションが不足していると、子どもは自分の意見や感情を表現するスキルを十分に学べないことがあります。

・経験の機会の不足

子どもはさまざまな経験をすることで、自らの意見や考えを形成し、表現するようになりますが、学校や家庭などで自分の意見や感情を表現する機会が与えられていない場合、子どもは自分の意見を表現するスキルを学べない場合があります。

自分の意見が言えない、気持ちを伝えることができないというのは、日常生活でも常にストレスにさらされていることになると思います。

例え、本人はそのストレスを実感していなくても、何かの拍子に急に爆発する、心や体に出るという形で現れることもあります。

親ができる対処法

・子どもの気持ちをちゃんと聞いてあげる

子どもの意見が正しいか正しくないかに関わらず、子どもの言うことをさえぎらずに最後まで話を聞いてあげることが重要です。これにより、子どもは安心して意見や気持ちを表現する習慣が身に付きます。（気持ちを話しても良いという経験をさせる）

・否定しない

子どもの意見を否定すると、子どもは自分の意見を言うことをさらに恐れてしまいます。

「そう感じるのね」

「そう思うのだね」と気持ちを否定せず受け入れましょう。

そのうえで「パパはこうした方が良いと思うよ」「こう思うよ」というように親の意見を話してください。

例え、子どもが間違ったことを言っていたとしても、頭から「違うよ」とさえぎらず、ちゃんと話を聞く姿勢を見せることで、自分の意見をはっきり言葉にする習慣が身に付きます。

子どもたちが自分の気持ちを大切にし、自分の意見や感情を適切に表現できるようにサポートやアドバイスをしてあげることが重要です。そして、子どもが意見をうまく言えず言葉にできない時には、手助けをしてあげましょう。子どもが自分の意見を言えるようになるためには、子どもの自己肯定感を高め、安心して自分の意見を言う環境を整えることが大切です。

もし、大人になっても意見を言えないという場合は、少しずつでも自分の気持ちを言えるように練習していきましょう。

コミュニケーションは慣れ、場数です。失敗しても繰り返し、繰り返し練習していくことで成功体験ができ、自信がついてどんどん話が出来るようになります。

5　高齢者のコミュニケーション問題

近年、日本の人口は急速に高齢化していると言われています。その結果、高齢者の直面する問題も多様化しています。

今回のお話は、高齢者と呼ぶには少し早いのですが、五十歳から十年間で大きく変わった方のお話をしたいと思います。

◆孤独な毎日

私が開業して間もなくの頃から、カウンセリングに通って来てくれている昌弘（仮名）さんという男性がいます。当時五十歳の昌弘さんは、一日中会社で誰とも話ができないと言っていました。

昌弘さんが働いている会社は、景気が良かった時代には、飲み会や社員旅行もあったため、以前は何とか人とのコミュニケーションがとれていたそうです。しかし、景気が悪化し始めた十年前（現在では二十年前）から、会社の雰囲気は変わりました。給料も下がり、人手不足に陥りました。そのため、忙しい時は残業も増え、職場の雰囲気は次第に険悪になっていったそうです。当時昌弘さんは、誰とも話さない毎日が続き、会社と家の往復だけの生活を送っていました。昌弘さんにとって、毎日が何の変化もない、ただ生きているだけの変わりのない日々でした。

実は、昌弘さんには弟さんがいましたが、昌弘さんが三十歳の時に交通事故で亡くなってしまいました。ご両親もそれから十年間の間に次々に病気で亡くなり、それ以来ずっとひとりで暮らしているそうです。

昌弘さんは、幼少期から母親に厳しく育てられました。成績が悪ければ布団たたきで殴られていたそうです。以前通っていたカウンセラーさんに言われてそれが虐待だと分かったのは、四十五歳の時だったそうです。それまで自分が悪いから叩かれていたと思いこんでいました。

母親からの虐待のせいか、自分に自信がなく、昌弘さんは人間関係を築くのが苦手でした。特に女性と話すのが苦手で、昌弘さんは独身でこの先どう生きればいいのか分からないと悩んでいました。

そして、ご両親の結婚生活を見ていた為、結婚に対して良い印象を持っていませんでした。昌弘さんが育った家庭環境は、祖父母の世話で親戚のいざこざが絶えず、夫婦関係も険悪だった為、結婚生活に夢も持てず、結婚したら幸せになれるとは思えなかったといいます。

◆昌弘さんの変化

昌弘さんはその後十年間、毎月一～二回のペースでカウンセリングに通って来てくれています。

昌弘さんは、私が唯一、自分の話をさえぎらず、真剣に聞いてくれる人だと言ってくれています。

カウンセリングは彼にとって気持ちを解放できる唯一の場所だったのかもしれません。

カウンセリングでは、まず昌弘さんが客観的に出来ていることを挙げて、自己肯定感を持てるようにサポートします。カウンセリングを続けるうちに、彼は一人で孤独だと思っていた自分の周囲に時々家を訪ねてくれる親戚がいることや、長年住んでいる地域のご近所さんから気にかけてもらえていることに気づきました。会社には嫌な人もいますが、心を開けば話せる同僚もいることに気がつきました。そして、昌弘さんは、コミュニケーションが苦手ということで、コミュニケーショントレーニングも行いました。特に、女性との会話を克服するために、女性との会話に特化したトレーニングも行いました。数年間のカウンセリングと、途中から始めたヒプノセラピーのおかげで、昌弘さんは夜何度も起きることも無くなりました。ヒプノセラピーはリラクゼーション効果もあり、たとえ十分だけでも深く眠れ、すっきりとした目覚めをもたらします。六年前からは二〜三十分程度、寝た後に、深く眠れるように暗示を受けて帰っていました。昌弘さんはいつも、「ここでの睡眠が一番良く眠れてスッキリする」と言ってくれました。近年は、月二回のカウンセリングが一回になり、数ヶ月間空くようになりました。私は、昌弘さんの生活が充実してきたのだろうと思っていましたが、先日数ヶ月ぶりに、近況報告をしてくれました。

昌弘さんは今では、会社での彼の存在感が増し、リーダー的な役割を果たすようになったのだそうです。また、Ｆａｃｅｂｏｏｋを通じて、地方の方々と交流し、友達関係を築いていました。そして、婚活アプリを通じて、交際相手も見つけ、毎日ＬＩＮＥや電話で話をしているそうです。今では彼は、生活に張りがあり、楽しく過ごしています。

昌弘さんは、「ここに来て、先生に出会えて本当に良かった」と感謝の言葉を何度も伝えてくれました。昌弘さんは、かつては会社と家の往復の寂しい人生だったと言っていましたが、「六十歳になってこんな人生を送れるとは思ってもいなかった」と嬉しそうに話してくれました。

昌弘さんが徐々に、自分の意見を言えるようになり、ＳＮＳで様々な人と良好な関係を築けた事が、私自身にとって、大きな励みになりました。昌弘さんは、私に感謝の言葉を述べましたが、私も心から昌弘さんに感謝しています。

カウンセリングでは、生活が充実するとクライエントは自然と来なくなります。しかし、時々

「子どもとの会話が増えました」

「仕事が続くようになりました」

「夫婦関係が修復できました」
「人生が明るくなりました」
という、感謝の言葉やメールや電話、直接来て話してくれる方もいます。

こんなにやりがいがあって、私自身が勇気を貰える仕事はほかにないと思っています。この仕事が出来る家庭環境を作ってくれた家族と、辛い道のりを越えてきたクライエントに心から感謝しています。

高齢者の一人暮らしにおけるメンタルヘルスの向上

＊メンタルヘルスとは、精神面における健康のことです。

では、高齢者の一人暮らしの場合、メンタル面でどのような事に気を付ければよいか、少しお話したいと思います。

高齢者の一人暮らしでは、身体的な健康だけでなく、メンタルヘルスの維持も重要です。以下の点に注意することで、心の健康を保ち、生活の質を向上させることができます。

・バランスの取れた食生活

近年、栄養も心の健康に関係することが分かってきました。食生活の偏りが、うつ病などの精神疾患のリスクとも関連することを示した研究結果も次々に発表されています。バランスの良い食事は、メンタルヘルスをサポートする基盤となります。

・社会的なつながりの重要性

人との関わり合いは、メンタルヘルスにおいて非常に重要です。

地域の集会や活動に参加し、友人や知人とのコミュニケーションを維持する。趣味や興味を共有するグループに加わることで、新たな交流を生み出し、心の充実につながります。

・生涯学習の促進

新しい技能や知識を学ぶことで、精神的な活力を保ちます。学び続けることは、メンタルヘルスを向上させる一つの方法です。

人との交流や新しいことへの挑戦は、時に面倒に感じることもあると思います。しかし、心を動かし、生活の質を高める重要な要素です。

誰とも関わらない、何の変化もない毎日では、生活の質を高めることは難しくなります。気持ちを誰かと共有したり、話をすることで、気持ちに変化をもたらします。心を動かすということが、精神面でもとても大切になります。

これらを意識することで、高齢者の一人暮らしにおけるメンタルヘルスの維持・向上に役立つと思いますので、できるところから、チャレンジしてみてください。

第五章

今がつらい人へ

1　心を少しでも楽にする方法

生きていると、日々の生活の中で不愉快な出来事や、心ない人々に出会うことがあります。理不尽な状況に直面することもあるでしょう。そんな時、心が暗く沈み、自分の不運を恨む気持ちになることもあると思います。

また、嫌なことが頭から離れず、苦しい気持ちが続くこともあるでしょう。しかし、人を恨む気持ちを持ち続けることは、心にとって辛いものです。この苦しい感情が続くと、より一層の苦しみを感じることになります。

そうは言っても、その苦しい感情を持ってはいけないと言うのではありません。

このような気持ちを無理に消し去ろうとするのではなく、嫌な出来事ばかりに目を向けるのをやめ、もっと広い視野で、優しい人々や人の善意、幸運な出来事など、良いことに目を向けてみることで、心も温かくなり、現状よりも少し楽になると思います。

脳は驚くほど学習能力に優れています。

私たちが、嫌なことばかり考えていると、脳は嫌なことを考える習慣を身に着け、良いことに目を向けていると、良いことを考える脳に変化していきます。悪いことばかりに焦点を合わせると、否定的な想像力が働き、その結果、自分自身を暗い気持ちや不快な感情に陥れることになります。これは長期的には、心を疲弊させる原因にもなります。

ここで大切なのは、「嫌な気持ちを考えてはいけない」と、自分に言い聞かせることではありません。むしろ、「嫌な気持ちを持っても仕方がない」と否定せず、ただ「一時的に横に置いておく」という気持ちを持つことが秘訣です。

人は「してはいけない」と思えば思うほど、そのことに囚われてしまいがちです。どんな嫌な気持ちも、自分にとっては大切な感情ですので、それを否定せずに「あっても良いもの」として受け入れ、心を他のことへ向けることが大切なのです。

些細な親切や感謝の気持ちなど、心を温かくするものへ目を向ける習慣を身につけることで、徐々にですが、心の中が変わっていきます。育った環境によって形成された思考の癖も、新たな習慣で変えることができるのです。

◆「運が良い」「運が悪い」は、思考癖から

実は、「運がいい」「運が悪い」という確率は大差がないそうです。「運が良い」「運が悪い」は、しばしば私たちの思考の癖から生じるものです。

実際、「自分は運が悪い」と感じる人は、不運な出来事に目を向けがちです。その結果、不快なことばかりが多いように感じてしまうのです。

一方で、「自分は運が良い」と思っている人は、ポジティブな出来事に目を向けやすく、悪い事は気にしない傾向にあります。そして、大きな違いはチャンスがあると素早く行動に移すので、良い結果を引き寄せやすいと言われています。

逆に「運が悪い」と思っている人は、悪い想像をしてしまい、チャンスを逃すことが多いのです。

◆思考の変え方

1　失敗が気になる人へ

確かに、失敗はしないに越したことはありませんが、絶対に失敗しない人は存在しません。

よく考えてみてください。

「これまでの失敗が、本当に破滅をもたらすことになりましたか？」

多くの場合、何とか乗り越えられたはずです。そう思うと、

「失敗したら嫌だけど、どうせ何とかなる」と前向きに捉えることができると思います。

失敗したら

「次はこうすればいい」と、プラスの要素だけを拾って、次に進んでください。

「不安」も同じことです。

「こうなったらどうしよう」といつも不安感を持つ人がいますが、実際に今まで、自分の不安が的中

しても、どうにもならなかったことはほとんど無いと思います。

カウンセリング時にクライエントにその質問をしても、今のところ全員、「何とかなった」と言っています。

2　人から嫌われることを恐れる人へ

今までの中で、「誰かに嫌われた事が、本当に自分の人生に大きな影響を与えましたか？」良く考えてみてください。自分にとって大切な人以外の意見は、自分の人生にそこまで影響しません。自分の人生にとって、「彼らはただの通りすがりの人」と考えることで、他人の評価にとらわれることなく、自由になります。

3　親に従う生き方で、人間関係がうまくいかない方へ

親御さんの期待に応えようとする姿勢は、あなたにとって、とても自然なものです。しかし、成長

するにつれ、自分の感情や価値観を大切にすることが、個人としての成熟への大切な一歩となります。

親の期待と自己表現のバランスを見つけるのは、大人になっても続く課題です。

あなたがこれまで続けてきたコミュニケーション法が、他の人間関係にまで影響を及ぼしていると感じるのでしたら、それは変える時が来たのかもしれません。親子関係の中で学んだことは、他の関係においても影響を及ぼすことがあります。大人としての自立は、それらを見つめ直し、必要に応じて変化させるチャンスでもあります。

自分自身を偽らずにいることは、決して容易ではありません。それでも、自分の感情や欲求に正直になることは、健康な人間関係を築くための基礎になります。あなたが自分自身を大切にし、自分らしくいることで、人間関係も楽になります。ただし、人を傷つけたり、自分勝手にふるまうということではありません。

親御さんに対しては、成人としての新しい関係を築くことを考えてみてください。お互いにとって、快適な距離感を見つけ、尊重しあえる関係を目指すことが大切です。

過去の経験は変えられませんが、これからの関係をどう築くかは、貴方の手に委ねられています。

自分らしく行動し、健全な人間関係を築くこともあなた自身はできるのです。

嫌なことに焦点を合わせるよりも、感謝の気持ちや良い人、良い出来事、美しいものに目を向ける習慣を身につければ、心はより豊かに、そして楽になると思います。不安に思うことがあって気になるのなら「どう対処するか？何ができるか？」と具体的に考えることで、心の不安は軽減されます。

◆話すことの大切さ

多くのストレス解消法がありますが、人に話をすることは、特に心を軽くする効果があります。ただし、話した際に否定されたり説教されたりすると逆効果になる場合があるので、聞いてくれそうな人に「黙って聞いて」と頼んでみるのも良いかもしれません。

話を聞いてくれる人がいない場合、または話すことが難しい場合は、筆記表現法を試してみましょう。ストレスの原因や不満など、人に見せないので、罵詈雑言、何でも構いません。どんなマイナスの感情でも紙に書き出してください。そして、その紙をくしゃくしゃにして破り捨てることが大切です。

これは、心の中に溜め込んだ感情を外に出し、解放する行為です。実際にこの方法で不眠が改善された方もいます。

◆小さな幸せを見つける

自分にとっての小さな幸せを見つけることも大切です。例えば、私はベランダで咲いた薔薇を洗面台に飾ったり、お風呂にリラックスできる音楽をかけて、お気に入りの入浴剤を入れて、ゆっくり浸ったりします。また、自宅で仕事をする際は、波の音をバックグラウンドに小さく流し、海外の美しい景色のビデオを映しながら作業をします。デスクには、心が和むぬいぐるみや、飾り物などを置く事も、自分の心を癒すのに役立ちます。

◆心を軽くする方法

・**運動**

軽い運動や散歩は、心をリフレッシュし、気分を高めるのに役立ちます。運動はエンドルフィンを放出し、幸福感を高めることが知られています。

・質の良い睡眠

良質な睡眠は心の健康にとって、とても重要です。毎晩一定の時間に就寝し、充分な休息をとりましょう。就寝前はスマホやＰＣの使用を控えましょう。

・深呼吸や瞑想

深呼吸は心を落ち着かせ、ストレスを軽減します。瞑想も同様に、心を落ち着かせるのに役立ちます。毎日数分間行うだけでも、効果があります。

・感謝の習慣

毎日感謝することを意識することで、ポジティブな気持ちを育むことができます。小さなことでも感謝する習慣をつけると、心が軽くなります。

・趣味や楽しい活動

読書や絵を書く、音楽を聞くなど、自分が楽しめる活動をすることで、心の負担を軽減することができます。

友達や家族との時間なども孤独感を減らし、心を癒します。定期的に連絡を取り合いましょう。

心の負担が多い場合、カウンセリングやセラピーなど専門家の助けを借りることも有効です。自分に合った方法を見つけ自分のペースで実践することが大切です。

◆コミュニケーションのトラブルの原因と対処法

コミュニケーションでの問題の多くは、勝手な思い込みから生じます。不安になることを過度に想像するよりも、心が楽になるような考え方をすることが重要です。

人間関係のトラブルは、多くの場合

「きっとこうに違いない」
「こうしてくれて当然」
「こう思っているだろう」

といった、勝手な思い込みが原因となります。

このような思い込みが行き違いを生じさせ、勝手な解釈によって、溝を深めてしまいます。

夫婦カウンセリングでは、双方から話を聴いてみると、多くの場合、相手の気持ちを誤解していることがよくあります。

そして、「こうしてくれて当然」と思っていたことは、育った環境が異なる為、相手にとっては当たり前ではないことも多いのです。普通という言葉も各々の家庭で微妙に異なることがほとんどです。

このような思い込みを避けるためには、以下のように伝えることが重要です。


「私はこう思う」

「私はこうしてほしい」

「私はこうしたい」

と、自分の気持ちをＩメッセージ（「私」を主語で自分の意思を伝えること）で率直に伝えること。

そして相手に対して、

「あなたはどう思う？」

「あなたはどうしたい？」

「あなたはどうして欲しい？」

と尋ね、相手の気持ちを確認すること。

これはどちらか一方が我慢するのではなく「自分と相手」双方のお互いの気持ちを大切にするコミュニケーションの方法です。自分の気持ちを率直に伝え、相手の気持ちを聴くことでコミュニケーションのトラブルを大幅に減らすことができます。夫婦カウンセリングでは、この方法を提案しており、これにより以前は日常的に喧嘩していたカップルが「喧嘩を大幅に減らすことができた」というご報告をよく耳にします。

「わかって欲しい」と願う気持ちを手放す

異なる環境や価値観で育った人間にとって、完全な理解は困難です。親子間でさえ、何も言わずに理解し合うことは難しいのですから、他人同士の理解はなおさらです。

重要なのは「理解して欲しい」と思うのではなく、「この人はこういう人なのだ」と理解して、受け入れることです。そして自分の素直な気持ちを伝え、相手が理解しないのであれば「今は理解できないのだな」と思うだけにする方が、心の安定は保たれます。

例えば大声で怒鳴る人を前にして、「なぜそんなに大声で怒鳴るのだろう」と考え込むと、心が苦しくなるだけです。「そうしたコミュニケーションスタイルを身につけてしまった人」だと理解し、心の距離を保つことが肝心です。

自分は好ましくないと感じたら、最小限の接触にとどめることをお勧めします。これはモラハラスメント対策にもなります。モラハラをする上司に対して、いつも怒られないようにすることは不可能です。なぜなら、上司の気分によって、同じ行動をしても怒られる日と、そうでない日があるからです。怒るかどうかは相手が決めること。

ですから、

「今日は機嫌が良い」

「今日は機嫌が悪いから近づかないようにしよう」と受け止めるだけにしましょう。

「なぜこんな言い方をするのだろう」

「どうしてこんなことをするのだろう」と思うと、心が痛むだけです。

異なる人々と心の距離を保つ事は、自分自身を守ることにつながります。

2　読者へのメッセージ

自分が苦しい時、「なぜ自分だけが…」と思う瞬間は誰にでもあると思います。周囲の人々が幸せそうに見えることもあるでしょう。しかし、実際には、皆それぞれの悩みや不安、愛する人との別れ、苦しみを抱えながら生きています。多くの人が、その苦しみを隠して、外面では幸せそうに振る舞っているのです。私のクライエントのひとりは、信じられないほど酷い家庭環境で暮らしていましたが、それを友人や職場の同僚には決して知られたくないと話していました。彼女はいつも人前では笑顔を絶やさないのです。

今、死にたいくらい辛いと感じているあなたへ。

今は、とにかく生きてください。日々を過ごす中で、生きる意味や新たな目標が見つかるかもしれません。もし今がどん底だと思えるのなら、あとは「上がるしかないのです」。

◆不健全なコミュニケーションを変える勇気

メンタルの不調を繰り返す人の中には、そのコミュニケーション方法を幼少期の家庭環境で学んでしまった方がいます。

例えば、子どもの頃に気分が不安定になったり、体調を崩したりすると、普段は厳しい親が優しく対応するという経験を繰り返した場合、「体調を崩すと親が構ってくれる」という結びつきが生じます。

これは意識的な行動ではないものの、大人になっても不安を感じた際に、無意識に心が不安定になってしまうことや、体調を崩すことがあります。

また、家族の誰かが自己の意思を通すために不安定な態度をとることで、家族が仕方なく要求を受け入れると言った場面が繰り返されると、「子どもは問題行動を起こせば自分の望みが叶う」と学んでしまいます。このような行動は多くの場合、無意識に行われます。

しかしながら、この種の行為が成功体験として記憶されると、不健全な人間関係しか築けなくなるのです。成人してからこれを繰り返すと、結果として自分の居場所がなくなったり、人が離れていくことになりがちです。

◆過去は変えられませんが、これからの人生は選ぶことができる

これまでのお話で、幼少期の経験が心の癖を形成し、それが生きづらさを引き起こすことがあると解説してきました。嫌悪感や憎しみのような感情は、それ自体が悪いのではなく、「その気持ちによって、自分が苦しむことが問題」だということです。

過ぎ去った過去を変えることはできませんが、これからの人生を自分で選ぶことは可能です。過去に縛られ、これまでの環境を理由に苦しむのか、それとも自分で思考や感情の受け取り方を変えて、より楽に生きるための努力をするのか、それは自分自身で選べるのです。思考癖を変えるのには特定のルールがあります。どんなマイナス感情でも、それは自分にとって大切な感情です。感情を否定するのではなく、受け入れ、新しい癖へと変えていく努力をしてみてください。

「今はこう思うけれど、いずれは良い方向に向かう」と思うことが大切です。人は「してはいけない」と思えば思うほど、逆の心理で行動しがちなので、マイナス感情も感じてはいけないと否定しないでください。

【まとめ】

心を楽にする方法は、人それぞれ異なりますが、今まで述べてきたまとめをご紹介します。

メンタルケア

・話す（人とのコミュニケーション）

気になることや心の中の思いを友人や家族、または専門家に話すことで、心の負担が軽減されます。

・感謝の意識

日常で感謝できる点を見つけ、意識を向けることで心が軽くなることがあります。

・現在に集中

過去や不安に思う未来に心を奪われると心が重くなりがちです。「とりあえず今できる事をしてみる」習慣を身につけましょう。

・聞く

心地よい音楽や好きなものに耳を傾けることでリラックスします。

・言葉

自分自身に良い言葉をかけることで、心の状態が改善されることがあります。

・ポジティブな自己対話

問題やストレスの原因を冷静に分析し、解決策を身につけましょう。

・趣味や特技

趣味や特技に没頭することで、ストレスから一時的に解放されます。

・自然に触れる

自然の中で過ごすことは多くの人にとって、リラックスできる方法です。自然に触れることが難しい場合は、外出して新しい環境を体験するだけでも心が晴れます。

・専門的なケア

必要であれば、専門家の協力を得て心の問題に向き合うことや、医師の指導の下で薬を使用することも一つの方法です。

・具体的な対処法を見つける（逃避も含む）

助けを提供する人や機関を探し、生きづらさからの解放感や希望を見出すことも時には必要です。

・瞑想や深呼吸
ストレスを減らし、心を落ち着かせるためには、深くゆっくりと呼吸することが有効です。

・適度な運動
エンドルフィン（幸福ホルモン）の放出により、心地よい気分になります。

・ストレッチ
体を動かすことで心が軽くなるので、定期的な運動は心を健康に保ちます。

・バランスの取れた食事
バランスの取れた食事は体だけでなく心の健康にも良い影響を与えます。

・十分な睡眠
疲れがたまると心も重くなりがちです。充分な睡眠をとることが必要です。

「過去は変えられませんが、これからの人生は自分で選ぶ事ができます」諦めずに視野を広げ、これからの人生を自分の手で選んでください。

終わりに

この本の冒頭で触れた「不幸に見舞われた私の人生」には、続きがあります。母が再婚で、前の結婚相手との間に娘が二人いました。一緒に暮したことはありませんが、父親違いの十歳と十二歳上の姉が私にはいたのです。ともに亡くなりましたが、十歳上の姉は十年以上前に癌で、十二歳上の姉は六年前に筋萎縮性側索硬化症（ＡＬＳ）でこの世を去りました。

一緒に暮したことが無かった姉たちですが、交流はしていて、母が亡くなった後は、年に一度くらいは会っていました。特にＡＬＳで亡くなる前の上の姉とは、残された時間を惜しむように、家族みんなと旅行に行ったり、お互いの家を訪ねあったりして、たくさんたくさん笑って過ごすことができました。

今でも桜を見た時やプランターの薔薇が咲いた時には、花が好きだった姉に写真を送っていたことを思い出し、何とも言えない寂しさで心が痛みます。

それでも、残酷な病気になっても泣き言ひとつ言わず、いつも家族のことを心配していた姉を思うと、自分が泣くのは申し訳ないと感じてしまいます。

ＡＬＳはとても残酷な病気です。発症後徐々にできないことが増え、十年くらいで死に至る病気とされていますが、姉は幸いなことに（人に頼るのを極端に嫌った姉なので、姉にとってはその方が良かったと思っています）器官の方から始まったため、病名が判明してから一年半で亡くなりました。姉を見ていて「ただ話ができること」「ただ食べられること」がどれほど幸せなことかを実感しました。人生の中で、失った人たちや得られなかったもの、理解されなかった思いがたくさんありますが、それでも私は幸せだと思っています。

どうか今、辛いと思っている皆さん、人の悪意ではなく善意を見て、今あるもの、できていることに感謝をする生き方をしてみませんか？今持っているものに気持ちを向ければ、心はより暖かく、楽になると思います。優しい人や美しいものに目を向けて過ごすことで、同じ人生が違う色に見えてくると思うのです。どうか希望は捨てないでください。

もしかしたらこの本に書いてあることが「できない」「信じられない」と思う方もいるかもしれません。でも、「まかない種は芽が出ない」と思っています。この種がいつか芽が出て花が咲くことを願っています。カウンセリングでも私が話したことをすぐに理解することは無くても、一週間後、ひと月後、一年後、あるいは数年後に「あの時先生の言っていたことが分かりました」という方も結構多いのです。

この本に書いてあるクライエントのお話は、実在の方の人生ではありません。いろいろな方のエピソードと性別環境など、変えて書かせていただいています。でも、事実は小説より奇なりです。この本に登場するクライエントより、現実のクライエントの方が、より厳しい状況に置かれていることが多いのが現状です。

同じ場所にいてもどこを向くかで幸せの度合いは変わります。そして、不都合な心の癖を変えていくことは皆さんにも出来る事を知って欲しいのです。暗い世の中かもしれませんが、どうか優しさと希望を忘れずに、持っているものに目を向けて生きづらいと思う人生をやめて、自分を幸せにしてください。この本が、日常の中で小さな良い変化を生むきっかけになれば幸いです。

最後に、この本を上梓するにあたり、構成等のアドバイスを頂いた脚本家の楠本ひろみ先生と協力いただいたマセマ出版 橋本さん、間宮さん、町田さん、およびスタッフの皆さま、そして、取締役社長馬場敬之先生に心から感謝いたします。

また、最後までこの本を読んでくださった読者の皆様にも、深く感謝申し上げます。

飯塚和美

２０１３年「カウンセリングルーム大空」開設

電話相談を含め８千人以上の実績・リピーター率８０％

著書「考え方で明日は変わる」

マイベストプロ埼玉コラム掲載・ニュースサイト記事執筆

雑誌ＢＡＩＬＡ（２０２２年）掲載

心理カウンセラー

ＰＳＹＣＨＯＬＯＧＹ ＨＹＰＮＯＳＩＳＴ

現在は、個人カウンセリングをはじめ、対面・オンラインでのカウンセリング・心理講座や子育て講座及びカウンセラー育成に力を入れている

生きづらい人生をやめて ありのままの自分になれる どんな過去でも未来は変わる

知っていますか？人の目が気になる理由 親が知らない子どもへの影響

改訂版

マセマ

著　者　飯塚 和美
発行者　馬場 敬之
発行所　マセマ出版社
〒 332-0023 埼玉県川口市飯塚 3-7-21-502
TEL 048-253-1734　FAX 048-253-1729
Email：info@mathema.jp
https://www.mathema.jp

編　集　七里 啓之
校閲・校正　七里 啓之　秋野 麻里子
制作協力　間宮 栄二　町田 朱美
カバーデザイン　橋本 喜一
印刷所　中央精版印刷株式会社

令和 6 年 5 月 21 日　初版発行
令和 6 年 8 月 8 日　改訂版発行

ISBN978-4-86615-348-3 C0011
落丁・乱丁本はお取りかえいたします。